Brian W. Aldiss

TERROR

Von Brian W. Aldiss ist in der Edition Phantasia erschienen:

BARFUSS IM KOPF (1988, limitierte Ausgabe)

Brian W. Aldiss

Terror

Aus dem Englischen von Michael Plogmann

Phantasia Paperback – Science Fiction
Band 1011

1. Auflage – August 2009

Titel der Originalausgabe
Harm

»Phantasia Paperback« ist ein Imprint der Edition Phantasia

Umschlagbild: © Nik Wheeler/Corbis
Satz, Layout: Edition Phantasia
Gesamtherstellung: TZ-Verlag & Print, Roßdorf

ISBN: 978-3-937897-35-6

www.edition-phantasia.de

Diese Geschichte ist denen gewidmet,
die noch nicht lesen können,
meinen Enkeln Archie und Max,
und denen, die es jetzt können,
Thomas, Laurence und Jason,
in der Hoffnung, dass sie alle in einer
harmloseren Welt als unserer leben werden.

Ich bin die Zeit, die alle Welt vernichtet,
Erschienen, um die Menschen fortzuraffen;
Auch ohne dich sind sie dem Tod verfallen,
Die Kämpfer all, die dort in Reihen stehen.

Krischna in der *Bhagavadgita* 11:32

Da fürchtete er sich und rief aus:
Wie schaurig ist diese Stätte!
Ja, hier ist das Haus Gottes.

Erstes Buch Mose, 28:17

Im Namen Allahs, des Gnädigen, des Barmherzigen.
»O ihr Ungläubigen!
Ich verehre nicht das, was ihr verehret,
Noch verehrt ihr das, was ich verehre.
Und ich will das nicht verehren, was ihr verehret;
Noch wollt ihr das verehren, was ich verehre.
Euch euer Glaube, und mir mein Glaube.«

Koran 109:1

Der Meister sprach:
»Wer den Weg am Morgen findet,
kann beruhigt am Abend sterben.«

Konfuzius: *Analekten*, Buch 4

1

Der Staat befahl es. Die Staatsdiener führten die Befehle aus. Keinem Volk mangelt es je an Menschen, die Befehle ausführen.

Der Mann, um den es in dieser Geschichte geht, wurde verhaftet. Es gab einmal eine sorglose Zeit, als man noch Dummheiten machen durfte, aber diese Zeit war vorbei. Dies war die Zeit der Ernsthaftigkeit, des Kriegs gegen den Terror. Die Sicherheit der Nation stand auf dem Spiel.

Gewisse Freiheiten mussten eingeschränkt werden – wie Dummheit und Satire und Meinungsfreiheit. Sie gehörten einer vergangenen Ära an. Jetzt herrschte eine neue Zeit. »Jedermann muss sich gegen den Feind wappnen, der sich unter uns verbirgt.« So hieß es in dem Flugblatt.

Der Gefangene war vermummt und gefesselt. Er war jung, aber durch die Haft und die damit einhergehenden Ängste vorzeitig gealtert. Zwei Soldaten stießen und zerrten ihn voran, während sie pausenlos über die Mühsal ihrer Aufgabe klagten. Sie gingen einen langen Korridor entlang. Der Schritt der Militärstiefel hallte von den Fliesen wieder. Eine Tür wurde geöffnet, der Gefangene in einen leeren Raum gestoßen. Die Tür schlug hinter ihm zu.

Man nannte ihn Gefangener B.

Gefangener B blieb liegen, wo er war, flach auf dem Boden. Langsam richtete er sich in eine sitzende Haltung auf und streifte sich die Kapuze vom Kopf. Er saß einfach nur da, atmete flach und versuchte, einen klaren Gedanken zu fassen. Seine Rippen schmerzten von den Schlägen, die man ihm versetzt hatte.

Allmählich wurde er sich seiner Umgebung bewusst. Er befand sich in einem großen Zimmer, keiner Zelle. Ohne Fenster. Das wenige Licht stammte von einer nackten Glühbirne weit über ihm. Er kroch auf Händen und Füßen zur nächsten Wand. Sie war mit einer Tapete mit einem verblichenen Blumenmuster beklebt. Offenbar hatte man dieses Zimmer als Gefängniszelle requiriert. Ebenso offensichtlich war der Ort, an dem er sich befand, vormals eine prachtvolle Villa gewesen, eine Villa, die ganz sicher nicht zu ihrem augenblicklichen Zweck erbaut worden war.

Indem er sich an der Wand abstützte, schob sich der Gefangene B auf die Füße. Er sah einen Eimer in einer Ecke, und es gelang ihm, dorthin zu wanken, wo er sich erleichterte.

Er kauerte sich an die Wand und presste die Handflächen gegeneinander, um das Zittern zu unterdrücken. Er versuchte, seine Lage zu überdenken, doch ihm fiel dazu nichts ein. Er war nur ein Gefangener, seinen Entführern vollkommen ausgeliefert.

Die Stunden vergingen. Er konnte nur auf die nächste Vernehmung warten. Etwas jenseits der Wände seines Gefängnisses konnte er sich nicht einmal vorstellen. Es gelang ihm nur, sich auszumalen, dass die Gefangenschaft jemand anderem passierte, einer schemenhaften Persönlichkeit, die er kaum kannte.

Eine Bank stand an der gegenüberliegenden Wand. Er ging hin. Eine gewöhnliche Gartenbank, wahrscheinlich als Bett gedacht. Schwach, wie er war, legte er sich darauf. Die Bank war zu kurz, um bequem zu sein. Seine Beine ragten über das Ende hinaus. Doch er war zu erschöpft, um aufzustehen.

Nach einer Weile fiel er in einen fiebrigen Schlaf

Zwei Wärter kamen und weckten den Gefangenen B. Seinem Gefühl nach musste es mitten in der Nacht sein. Sie trugen derbe Zivilkleidung. Das tröstete ihn ein wenig und er fragte, als sie ihn in den Korridor zerrten: »Wo bin ich?«

Sie antworteten nicht.

»Ich meine, in welchem Land sind wir?«

»Im verdammten Syrien, was hast du denn gedacht?« sagte einer der Männer.

Wieder überkam ihn Angst. »Syrien? Das kann nicht sein. Ich dachte, Syrien ist ein Schurkenstaat?«

»Halt's Maul«, war die einzige Antwort.

Sie brachten ihn in einen der Verhörräume.

Es war ein kleiner Raum, der irgendwie türkisch gestaltet schien. Ein stimmloses Etwas in seinem Kopf wiederholte wieder und wieder: »Syrien, Syrien, Syrien«. In seinem verwirrten Zustand erinnerte er sich nicht, wo Syrien lag. Aber ihm blieb keine Zeit für irgendwelche Überlegungen. Soldaten standen in Habachtstellung im Raum und wiegten Karabiner in den Armen. Man zwang ihn, vor einem Tisch zu stehen, hinter dem ein dünner Mann mit kantigem Kiefer, buschigen Augenbrauen und kahlrasiertem Schädel saß.

Er saß schweigend da, die großen roten Hände auf der Tischplatte gefaltet, und blickte den Gefangenen starr an.

»Geht es Ihnen gut?« fragte er. Ein eigentlich ganz freundlicher Anfang.

»Einigermaßen.«

»Dann stehen Sie ordentlich. Sie sind hier nicht in dem stinkenden Loch, aus dem Sie kommen.« Er hielt inne. »Ich stelle Ihnen jetzt einige Fragen. Sie antworten wahrheitsgemäß. Haben Sie verstanden?«

Als der Gefangene B nickte, brüllte der Vernehmende ihn an: »Haben Sie verdammt noch mal verstanden?«

Er knipste eine Schreibtischlampe an, sodass der Strahl dem Gefangenen B direkt in die Augen schien.

»Ja, ich habe verstanden.« Er hob eine Hand, um die Augen abzuschirmen.

»Nehmen Sie die Scheißhand runter. Wie alt sind Sie?«

»Einundzwanzig.«

»Wie alt werden Sie nächstes Jahr um diese Zeit sein?«
»Zweiundzwanzig.«
»Zweiundzwanzig oder tot. Sagen Sie es.«
»Zweiundzwanzig oder tot.«
»Wie heißt Ihr Vater?«
Er gab die Antwort.
»Wie heißt Ihre Mutter?«
Er gab die Antwort.
»Wie heißen Ihre Brüder?«
Er gab die Antwort.
»Wie heißt Ihre Schwester?«
Er gab die Antwort.
»Sie ist eine dreckige Hure.«
»Nein.«
»Sie ist eine dreckige, stinkende Hure, sage ich. Sie ist gerade in einem anderen Zimmer und treibt es mit dem Fußvolk.«
»Nicht aus freien Stücken.«
»Natürlich aus freien Stücken. Die kriegt gar nicht genug. Und Sie sind hier, weil ein Bericht der ISID Sie belastet.«
»Ich weiß nicht mal, was ISID ist.«
»Spielen Sie nicht den Unschuldigen. ISID ist die pakistanische Anti-Terror-Behörde. Was sind Sie von Beruf?«
»Schriftsteller.«
»Warum schreiben Sie Lügen?«
»Das tue ich nicht.«
»Sie werden bezahlt, um Lügen über uns zu schreiben.«
»Nein.«
»Sie werden bezahlt, um Lügen zu schreiben, Sie kleiner Mistkerl.«
»Nein. Was meinen Sie mit Lügen?«
»Sie haben dieses anstößige Buch geschrieben, *Der Rattenfänger von Hament.* Sie hetzen darin gegen die Religion und das Regierungsoberhaupt.«
»Nein. Das können Sie nicht beweisen.«

»Sicher haben Sie. Dafür hat man Sie doch ausgepeitscht.«

»…«

»Warum wurde das Buch in Staaten veröffentlicht, die uns feindlich gesonnen sind?«

»Es wurde von der Kritik gelobt.«

»Kennen Sie diese Scheißkerle?«

»Was für Scheißkerle?«

Der Vernehmende las aus der positiven Rezension einer ausländischen Zeitung vor: »Hier heißt es: ›Einige der Szenen in dem Roman sind besonders lebensecht, vor allem die, die in London spielen. Die Wachablösung vor dem Buckingham-Palast ist als Überbleibsel eines überholten, imperialistischen, jetzt zur Touristenattraktion verkommenenen Systems amüsant geschildert.‹ Und so weiter …«

»Diese Rezension ist in einigen Punkten nicht richtig. Ich bin nie in der Heimat des Rezensenten gewesen.«

»Aber sicher. Vorletztes Jahr. Wir haben Beweise.«

»Stimmt, aber nur zwei Tage.«

»Sie stinkender, verräterischer Lügner.«

Gefangener B wurde von hinten getreten, wieder und wieder, gegen Schenkel und Gesäß.

»Das reicht! Wie lange sind Sie schon Mitglied von Al-Muhajiroun?«

»Ich weiß nicht mal, was das ist.«

»Sie verdammter Lügner! Das ist eine islamische Extremistengruppe, lauter Verbrecher und Selbstmordattentäter. Letzte Woche wurde ein Mann in Kensal Town verhaftet, nur eine Straße von Ihrer Wohnung entfernt. Sie gehören zu der Gruppe.«

»Ganz bestimmt nicht. Verhaften Sie jeden, der in Kensal Town wohnt?«

»Passen Sie bloß auf und versuchen Sie nicht, mir dumm zu kommen, Sie kleines Arschloch. Wir setzen nur EU-Richtlinien um.«

Sie schlugen ihn zusammen.
Die Befragung ging noch eine Stunde weiter.
Der Gefangene B hatte die meisten der Fragen schon vorher gehört.

Als er zurück zu seiner Zelle geschleppt wurde, ertönte ein Klingeln. Seine Wachen blieben abrupt stehen.

»Gefangener, Gesicht zur Wand!«

Er drehte sich um und presste das Gesicht gegen die alte Tapete. Auch die Wächter drückten die Gesichter an die Wand. Sie verharrten stocksteif, während ein Mann im dunkelgrauen Anzug, dessen blasses Gesicht von einer randlosen Brille verborgen wurde, eiligen Schrittes an ihnen vorbei ging.

Der Gefangene B kannte dieses Prozedere bereits. Gefängnisdirektor Gibbs bestand darauf, dass die Gefangenen ihn nicht sehen sollten. Wandten sie die Gesichter ab, existierten sie für ihn praktisch nicht.

Seinen Untergebenen, die den Gefangenen weitertrieben, gefiel dieses Verhalten nicht.

»Verdammter Blödsinn«, sagte einer. »Für wen hält der sich eigentlich? Die Queen?«

Der andere antwortete, es würde noch viel schlimmer, wenn Abraham Ramson Inspektion machte. »Dann solltest du dich verdammt in Acht nehmen, Sonnyboy!« sagte er halb im Spaß zu dem Gefangenen B und stieß ihn in die Rippen. »Ramson ist der große Zampano – oder hält sich wenigstens dafür!«

Dem Gefangenen war bereits früher aufgefallen, dass dieser Schlag Subalterner zwar seinen Pflichten nachkam, aber ständig gegen alle wetterte, die in der Hierarchie höher standen. Ihre Aufgaben waren für sie nur ein Job. Abends um sechs gingen sie nach Hause zu ihren Frauen und Kindern und einer Flasche Bier mit einer ordentlichen Mahlzeit; Politik kümmerte sie kein bisschen.

Er saß wieder in einer Zelle. Ein anderer Raum, aber dem früheren sehr ähnlich. Dieser hatte ein Oberlicht in der Decke, weit oben. Das Glas war abgedeckt, aber an einer Ecke hatte sich das Tuch gelöst, mit dem es verdunkelt wurde, und ließ einen Spalt Sonnenlicht herein. Das Sonnenlicht erzeugte ein kleines dreieckiges Muster hoch oben an einer der Wände.

Abraham Ramson … noch ein Grund, sich zu fürchten …

Allein in seiner Zelle in dem riesigen Gebäude, bemerkte er verstohlene Geräusche in der Nähe. Er stützte sich auf einen Ellbogen und sah sich um. Ein Pappkarton stand an der Wand. Mehrere Mäuse wuselten darauf herum und nagten an der Tapete. Er dachte daran, sie zu verscheuchen – aber warum sollte er? Er versuchte, nicht auf das eifrige Arbeiten der kleinen Kiefer zu hören.

Der Gefangene B konzentrierte sich auf das winzige Dreieck Licht.

Er sah nie andere Gefangene, hörte aber ihre Schreie. Ansonsten hätte er allein auf der Welt sein können. Es wusste, es gab französische Vernehmungsbeamte und amerikanische, und einmal war da auch ein polnischer Verhörspezialist als Vertretung gewesen.

Er hatte Fieber. Er stellte sich vor, dass dieser Fleck Licht eine andere Welt war, in der die Menschen frei waren. *Wo die Menschen frei sind …*

Das Licht erlosch. Er starrte weiter auf die Stelle, die es kurze Zeit erleuchtet hatte.

In dieser anderen Welt musste es Nacht sein. Sie hieß Stygia.

Er rezitierte im Geiste ein paar Zeilen aus einem großartigen Gedicht, an die er sich erinnerte.

So aufgehoben war der stygsche Rath.
In Ordnung kamen nun die hohen Fürsten
Den mächtigen Satan in der Mitte führend,

> Der schon allein ein Himmelsstürmer schien,
> Und furchtbar war als Herr des Höllenreichs ...

Eine Klappe am unteren Ende der Zellentür ging auf, eine Schüssel Suppe wurde hereingeschoben. Der Gefangene kniete und trank aus der Schüssel. Kohlsuppe, mit ein oder zwei Stückchen Kohl. Er trank durstig, und mehr und mehr breitete sich die Gewissheit in ihm aus, dass er eine Welt namens Stygia kannte, wo es mehr Hoffnung und weniger Unbill gab als in dieser.

Die übel schmeckende Suppe verstärkte sein Fieber. Er glaubte plötzlich, im Pool seines reichen Cousins zu schwimmen oder zu treiben. Er befand sich in anderthalb Meter tiefem Wasser. Die Sonne schien auf seinen Hinterkopf.

Er sah seinen Schatten am Grund des Pools. Die winzigen Wellen, die er erzeugte, wurden zu gekräuselten Lichtstrahlen, die aus seinem Schattenkörper herauszuströmen schienen. Seine Arme sind ausgebreitet. Er hat Macht. Macht ähnelt dem bombastischen Klang einer gewaltigen Orgel.

Die Lichtstrahlen tragen ihn voran. Er muss kaum die Arme bewegen.

Das große ätherische Etwas ist auf dem Weg ... Seine Gedanken wandern.

> Es ist der Geist sein eigner Raum, er kann
> In sich selbst einen Himmel aus der Hölle,
> Und aus dem Himmel eine Hölle schaffen.

Und auf diesem anderen Planeten ist er frei. Mit bloßen Füßen schreitet er über ausgedörrte Erde. Insektenschwärme fliegen an ihm vorbei. Es gab auf Stygia offenbar keine menschlichen Wesen. Er flog über Täler und gebirgiges Gelände, über breite Ströme und stille Seen, über Ebenen und Dschungel. Die einzigen Lebewesen, die er sah, waren Insekten; einige giftigbunt schillernd, andere krabbelnd, tiefschwarz.

Viele Tage und Nächte schienen zu vergehen, bis er zu einer tiefen grünen Ebene kam, die an steilen Klippen über einem dunklen, violetten Meer endete. Dort lag die menschliche Kolonie Stygia City.

Er kreiste darüber, bevor er sich nach unten treiben ließ und die Straßen und Gassen der seltsamen Stadt erkundete. Als er zu einem großen Platz kam, sah er vor sich ein gewaltiges Gebäude, wahrscheinlich der Regierungssitz. Es hatte ein flaches, an jeder Ecke von zwei starken Säulen getragenes Dach. Er näherte sich dem Gebäude. Die Sicht war schlecht. Die Spitze jeder Säule krönten Statuen von Engeln, Engeln mit riesigen Augen und Fliegengesichtern, die den Eindruck erwecken sollten, als würden sie das Dach tragen.

Gefangener B fand es schwierig, den Blick auf etwas zu konzentrieren. Er zog sich über nackte Bohlen voran und stellte fest, dass er zu einem alten Kamin hochsah. Die Feuerstelle selbst war zugemauert. Zurück blieb nur die steinerne Ummantelung, wo zwei kunstvolle, mit Cherubimen verzierte Säulen den ehemaligen Kaminsims stützten. Die Cherubime hatten Pausbacken und unschuldige Gesichter. Dies war der Raum, in dem er gefangengehalten wurde, ein Raum in einer ehemals prächtigen Villa, die jetzt für niedrige, bedrohlichere Zwecke genutzt wurde. Stygia war verschwunden.

Grobe Hände an seinem Kragen zerrten ihn auf die Füße.

Halb zogen ihn zwei bewaffnete Männer zu einem Verhörraum, halb sank er hin. Gewaltsam setzten sie ihn auf einen Stuhl. Eine Lampe blendete ihn. Er versuchte, sich an seinen Namen zu erinnern.

Zwei Männer betraten den Raum. Ihre Schritte hallten auf den nackten Bodendielen. Der Gefangene sah, dass der erste Mann Uniform trug, dann nahm ihm die Lampe die Sicht. Der uniformierte Mann setzte sich an das andere Ende des Tisches und sortierte einige Papiere. Der Mann, der ihn begleitete, stand hinter seinem Stuhl Wache. Dann ergriff der Verhörleiter mit tiefer, ruhiger Stimme das Wort.

»Hier sorgen wir für klare Verhältnisse. Das ist die Aufgabe dieser Behörde: Die Dinge zu durchleuchten.

Kein Herumgerede mehr, Gefangener B. Wir gehen der Sache jetzt auf den Grund. Sie werden meine Fragen ohne Ausflüchte beantworten.«

»Ich habe bereits alle möglichen Fragen beantwortet«, sagte der Gefangene. Selbst reden war schon eine Qual. Sein Mund war trocken und schmutzig.

»Sie müssen deutlich sprechen. Wachen, Wasser!«

Einer der bewaffneten Männer brachte einen Eimer, der zur Hälfte mit Wasser gefüllt war und goss es dem Gefangenen ins Gesicht. Es half, ihn wieder etwas zu beleben.

»Na gut. Sie heißen Fadhil Abbas Ali, ist das richtig?«

»Paul Fadhil Abbas Ali. Ich bin britischer Staatsbürger.«

»Wie kommen Sie zu dieser Behauptung?«

»Ich bin Einwanderer in zweiter Generation. Mein Vater ist als junger Mann aus Uganda nach England gekommen. Ich wurde in Ealing geboren.«

»Religion?«

»Hm … eigentlich keine.«

»Antworten Sie vernünftig. Sie sind Moslem. Sie sind letztes Jahr nach Saudi-Arabien gereist und waren dort in der Stadt Qem.«

Der zweite Mann lehnte sich über den Tisch und fragte: »Was wollten Sie dort?«

»Gar nichts. Ich habe nur Urlaub gemacht, und wollte sehen, woher meine Vorfahren kamen. Später reiste ich nach Israel und wohnte im Moriah Plaza Hotel in Tel Aviv. Deswegen bin ich noch lange kein Jude.«

»Warum waren Sie in der großen Moschee von Qem?«

»Hören Sie, ich war Tourist, britischer Tourist, also habe ich auch die berühmte Moschee besichtigt.«

»Wer war der Mann, mit dem Sie sich dort getroffen haben?«
»Ich habe mich mit niemandem getroffen.«
Als Antwort darauf zog der Uniformierte einen glänzenden Ausdruck aus seinen Papieren. Er schnippte ihn über den Tisch zu dem Gefangenen.
Das Bild zeigte das Innere der Moschee von Qem. Zwei Männer standen zusammen, der eine in östlicher Kleidung, der andere in Hemd und kurzer Hose, westliche Art. Paul erkannte sich selbst.
»Wo haben Sie das her? Ich verstehe das nicht. Das ist ein Scherz, oder?«
Eine Geste des Uniformierten, und eine der Wachen versetzte ihm von hinten einen Schlag gegen den Kopf. Die Wucht riss ihn fast vom Stuhl.
»Sie lügen, Sie Scheißkerl. Wer ist der Mann, mit dem Sie sich in der Moschee getroffen haben? Sie haben ihm einen Zettel gegeben. Was stand auf dem Zettel?«
»Ach. Das war ein Bettler, der mich um ein Almosen bat. Ich gab ihm einen Rupienschein.« Er schob das Foto weg.
Ein weiterer Schlag gegen den Kopf.
»Sie lügen mich an.«
»Nein. Das ist die reine Wahrheit.«
»Ihr Scheißkerle lügt die ganze Zeit. Ihr könnt Wahrheit und Lüge gar nicht mehr unterscheiden. Was stand auf dem verfluchten Zettel, den Sie weitergegeben haben?«
»Es war ein Geldschein, wie gesagt. Wahrscheinlich ein Zehnrupienschein, ich weiß nicht mehr.« Er beugte sich vor und versuchte, an dem grellen Licht vorbeizusehen, war aber weiter geblendet.
»Bitte, ich bin unschuldig. Lassen Sie mich gehen! Ich ertrage diese Folter nicht.«
Die beiden Männer lachten verächtlich. »Wenn Sie gefoltert werden wollen, können Sie das haben«, sagte der zweite Mann. »Wir stellen Ihnen nur Fragen, klar?«

Der andere Mann sagte: »Morgen stelle ich Ihnen Fragen über Ihre Frau, Sie Scheißkerl. Also denken Sie besser gut nach.«

»Lassen Sie mich gehen, verdammt!«

Jetzt stand der Uniformierte auf. »Niemand kommt hier lebend raus. Sie haben sich was zuschulden kommen lassen, sonst wären Sie nicht hier.«

»Verraten Sie mir, in welchem Land ich bin. Bitte! Man hat mich auf dem Weg hierher betäubt.«

»Sie sitzen in der Scheiße. Im Land der Scheiße.« Er marschierte gefolgt von seinem Lakaien hinaus.

Eine der Wachen versetzte dem Gefangenen B prophylaktisch noch einen Schlag gegen den Kopf. Dann schleppten sie ihn aus dem Raum, den breiten Korridor entlang in einen anderen Raum und schleuderten ihn mit einem Tritt hinein.

Als sie sich zum Gehen wandten, sah er den gelben Schriftzug auf dem Rücken ihrer Bomberjacken. Dort stand HOSTILE ACTIVITIES RESEARCH MINISTRY. Die Bezeichnung bestätigte seine schlimmsten Befürchtungen. Ministerium zur Untersuchung feindlicher Aktivitäten. War die Form von Brutalität, der er ausgesetzt war, jetzt offizielle Regierungspolitik? HARM? HARM? War es wirklich soweit gekommen?

Seltsamerweise versuchte er sogar, Rechtfertigungen für seine Peiniger zu finden. Er sagte sich, dass die so genannten Terroristen, die islamischen Selbstmordattentäter – und ihre stillschweigende Unterstützung durch die moslemische Bevölkerung – diese Schande über Großbritannien brachten … Ein Netz der Angst hatte sich über die einst gemäßigte und liberale Insel gelegt.

Er hörte, wie ein Schlüssel im Schloss gedreht wurde.

In seinem Schädel dröhnte der Schmerz. Er saß auf dem Boden, Rücken zur Wand, und barg den Kopf in Händen.

Das Dröhnen hielt an.

Die Glocke war geläutet worden. Sie hing unter dem Dach des Regierungsgebäudes. Es schien, als würde sich jeder in Stygia auf den Weg zu dem großen Platz in der Mitte der Stadt machen. Er war auch dort. Hier trug er den Namen Fremant. Er fühlte sich müde und zerschlagen und die Stadt, die er betrat, war grau.

Alles sammelte sich auf dem Platz und blickte erwartungsvoll auf das Gebäude. Ein großer kräftiger Mann erschien auf dem Balkon und hob grüßend den rechten Arm. Die Menge brüllte begeistert ihrem Führer Astaroth zu.

Dann sprach er. »Wir wurden rekonstituiert, bevor wir auf Stygia eintrafen. Ihr wisst, wie viele Lichtjahre wir gereist sind. Ihr wisst, wie die Reisenden sich in rivalisierende Sekten spalteten, als wir rekonstituiert waren. Diese Spaltung hört jetzt auf. Dieser karge Planet hat uns aufgenommen. Wir hofften, hier friedlich leben zu können und mit Hilfe der WAA eine große, neue Zivilisation aufzubauen. Aber wir mussten feststellen, dass sich eine primitive Rasse auf dem Planeten ausgebreitet hatte, die merkwürdigen Hundefreunde.

Die Hundefreunde sind die primitivste aller zweibeinigen Rassen. Sie haben keine gewaltigen Bauwerke errichtet, wie das, auf dem ich hier stehe. Sie haben keine Straßen angelegt. Sie hatten keine elektronischen Geräte, keine mechanischen Werkzeuge, gar nichts. Sie waren kaum besser als die Hunde, von denen sie geführt wurden, wie Blinde von Blindenhunden geführt werden.

Wer weiß, was für unbekannte Krankheiten von diesen Fremden ausgehen? Mit der Unterstützung und den guten Wünschen der fernen Erde und der WAA, der Western Allied Alliance, haben wir es uns zur Aufgabe gemacht, die Hundefreunde zu vernichten.

Ihr alle, egal welcher Gruppierung ihr angehört, habt euren Teil zu dieser Aufgabe beigetragen. Nacheinander wurden unsere Flugzeuge und Sonden zum Absturz gebracht und zerstört. Wir können sie nicht ersetzen. Wir haben Grund zu der

Annahme, dass heuschreckenartige Insekten die Triebwerke verstopften. Wir besitzen keine Industrie. Trotzdem kämpften wir weiter. Heute, an diesem großen, siegreichen Tag, kann ich voll Stolz verkünden, dass die Hundefreunde vernichtet sind, jeder Einzelne.«

Die Zuhörer brachen in Jubel aus.

»Der Planet Stygia gehört jetzt trotz zahlloser Insektenarten den Menschen. Dies ist eine Zeit der Entbehrung: Morgen müssen wir mit der Aufgabe beginnen, die leeren Landstriche mit unserer Art zu bevölkern, Farmen und Straßen und Häuser zu bauen. Aber heute lasst uns unseren Sieg feiern. Ich trinke nicht, ich habe dem Alkohol vor langer Zeit abgeschworen. Ich bin ein strikter WAAbit. Aber dieser Tag soll eine Ausnahme sein. Es gibt heute für euch alle freien Alkohol.«

Er hob die geballte Faust über den Kopf.

»Betrinkt Euch! Seid glücklich! Die Hundefreunde sind tot! Wir Menschen haben die Weiten des Alls durchquert, um diese Welt Stygia für uns zu beanspruchen und zu beherrschen. Wir müssen genügsam leben. Enthaltsamkeit muss unser Glaube sein!«

Er hielt inne, und aus tausend Kehlen schallte Triumphgeschrei in die Luft – nur nicht aus den Kehlen der Wenigen, die sich davonmachten.

Später taumelten die Leute unter dem Einfluss des Alkohols, den sie hemmungslos tranken, um das Vergessen zu finden, das er brachte. Einige fielen flach auf die Gesichter.

So fand sich auch der Gefangene B wieder, ausgestreckt auf dem Boden.

Und sein Bewusstsein kehrte zu dem schmutzigen Boden zurück, auf dem er wie ein Seestern mit gespreizten Gliedmaßen und dem Gesicht nach unten in dem kalten, dunklen, alten Raum lag, wo man ihn gefangen hielt und sein Keuchen von den Wänden widerhallte wie bösartiges Flüstern. Es war, als habe Stygia nie existiert; das Triumphgebrüll hatte sich in das Pochen des Blutes in seinem Schädel verwandelt.

Irgendwann im Lauf des Tages oder der Nacht schob man einen Laib Brot und eine Schüssel Kohlsuppe in seine Zelle. Er trank die Suppe, und alles um ihn wurde schwarz.

Er arbeitet für Astaroth. Er ist ein Wächter. Er ist einer der vier Männer, die für die Sicherheit des großen Führers verantwortlich sind. Außerdem ist er speziell dazu abkommandiert, ein Auge auf Aster zu haben, die Frau des Führers. Es ist dunkel in der Zentrale. Aster ist schwermütig. Sie isst nicht. Der Umfang ihrer Taille ist nur halb so groß wie der ihres Herrn und Meisters, Astaroth. Sie hasst den Gefangenen B (der auf Stygia Fremant heißt), weil er Astaroth dient.

Astaroth ist ein gestrenger Herrscher. Viele seiner verrückten Ideen hinterlassen ihre Spuren in der Stadt wie Narben. Er setzt eine Notenwährung fest, die vier Werte hat: drei Stigs, sieben Stigs, dreizehn Stigs und fünfundzwanzig Stigs. Er isst nur an ungeraden Tagen. Er trinkt nur Wasser. Er verbietet alle elektronischen Geräte, außer denen in dem alten, rostenden Raumschiff, in dem weiterhin Forschung betrieben wird. Er lässt Gefangene aufhängen, doch nicht am Hals, sondern an den Knöcheln, bis sie aufhören sich zu wehren und ersticken.

Astaroth kleidet sich immer in Schwarz. Er meditiert fortwährend. Er ist manisch-depressiv. Da er selbst hungert, lässt er auch andere hungern.

Fremant hat manchmal Dienst, wenn Astaroth seinen Rat zusammenruft. Diese nüchternen Männer haben einen sehr nüchternen Glauben. Sie sind WAAbiten oder, wie sie jetzt heißen, Waabiten. Die Vorschriften, nach denen die Waabiten leben, beinhalten völlige Hingabe an die Gruppierung. Wichtige Regeln verbieten Sex vor der Ehe, Privatbesitz, Spaß, Lektüre, Gesang, kleinbürgerliche Regungen wie »Gefälligkeit« oder »Verständnis«; gefühlsmäßige Bindungen zu anderen Menschen, einschließlich der Ehefrauen. Im Augenblick diskutiert der Rat darüber, ob Gemüse verboten werden sollte.

Fremant hört, aber er hört nicht zu, denn er ist nur ein Wachposten.

Trotzdem dringen die Worte des Rates manchmal zu ihm durch, während er reglos wie eine Statue dort steht. Er hörte Astaroth verkünden: »Wir müssen genügsam sein auf diesem fremden Planeten, oder wir verlieren unsere Menschlichkeit, wir entwickeln uns zu wilden Tieren zurück. Der Boden ist nicht sehr fruchtbar. Die Landwirtschaft muss sich hier erst noch anpassen, also werden wir nur einmal am Tag essen – bei Sonnenuntergang, und auch das nur mäßig. Doch wir sind Menschen, auf einem Planeten, auf dem es von Insekten wimmelt. Wir haben die Menschlichkeit vom Planeten Erde mitgebracht, und daraus sind wir im Raumschiff rekonstituiert worden. Was wir nicht mitgebracht haben, waren all die mühsam errungenen Strukturen, das Netz aus Beziehungen zwischen Gruppen und Nationen. Diese Strukturen müssen wir wieder aufbauen, selbst wenn wir dafür Menschen töten.«

Wenn er Nachtdienst hat, schläft Fremant auf einem Strohsack vor der Tür zu Astaroths Quartier, in dem auch Aster wohnt. Die Tür ist schwarz. Fremant erhält die Rationen einer Wache, zwei Mahlzeiten am Tag. Eine Mahlzeit aus Fisch vor der Dämmerung, eine Mahlzeit aus Fleisch bei Sonnenuntergang. Das Fleisch ist Insekten-»Fleisch« von den Dacoin; der Fisch wird ganz frisch aus dem großen Meer um sie herum gefangen.

Jeden Tag bei Sonnenaufgang trainiert Fremant, entweder, indem er gegen einen Kameraden kämpft oder eine Klippe runter und wieder rauf klettert. Er hat einen freien Abend pro Woche. Täglich zur Mittagsstunde tritt er vor Astaroth und schwört ihm Treue – es sei denn, es ist einer der Tage, an denen die Stimmung des Führers so düster ist, dass er sich in einem seiner Gemächer einschließt und niemanden empfängt.

»Er ist kein schlechter Kerl. Er leidet wie wir alle, die vom Schiff kommen«, sagte Bellamia und strich sich die widerspenstigen

Locken zurück. »Bei uns allen stimmt was nicht. Das kommt wohl davon, wie wir gemacht sind, schätz ich …«

Fremant hatte ein Zimmer in Bellamias Haus gemietet. Bellamia hatte ein papageienartiges Insekt als Haustier. Immer, wenn Bellamia sprach, strömte ein seltsamer Geruch aus ihrem Mund. Bellamia kaute immerfort ein Kraut. Die zwei Zimmer ihres Hauses waren äußerst spartanisch eingerichtet. Es stand am Caskeg-Platz, im Schatten der Zentrale. Fast jeder, der in dieser Straße wohnte, arbeitete in der Zentrale.

»Das liegt an der Luft, die Luft ist irgendwie anders«, klagte Bellamia. »Da fühlt sich das Atmen anders an.«

»Ich bemerke davon nichts«, sagte er. Er wollte sich nicht auf ein Gespräch mit ihr einlassen. Bellamia war eine üppige Frau und wie er bemerkte gar nicht so alt, wie er zuerst dachte. Aber sie umgab eine Aura der Abgeschiedenheit.

»Dann liegt es an mir«, sagte sie. »Ich wurde nicht richtig gemacht. Ich spüre das. Irgendwie fühl ich mich gar nicht wie ein Mensch.«

»Das ist albern«, sagte er, aber nicht unfreundlich. Schließlich verlangte sie nur einen halben Stig pro Tag für die Unterkunft.

Es war allgemein bekannt, dass die Atmosphäre von Stygia drei Prozent mehr Sauerstoff enthielt als die der fernen Erde.

Bellamia hielt einen grünen Papagei in einem Käfig. Manchmal gab das Tier einen langgezogenen tiefen Ton von sich, ein Geräusch wie von einer Grille. Als Fremant das Wesen genauer musterte, besaß es kaum noch Ähnlichkeit mit einem Vogel. Es hatte die Facettenaugen eines Insekts und Kauwerkzeuge statt eines Schnabels. Aber Bellamia hatte sich an das Tier gewöhnt.

Während er ihn musterte, bemerkte er, dass das Singen des »Papageis« ein Zirpen war, das durch Reiben der Hinterbeine entstand. Bellamia summte ihre eigene Melodie zu diesem leisen Klang.

Alle in Stygia City schienen arm zu sein. Die Männer trugen abgewetzte und geflickte Kleidung. Die Armut erstreckte sich auch auf ihre Sprechweise. Fremant wurde allmählich bewusst, wie verarmt ihr Vokabular war. Die Zerlegung für die lange Reise durch das Weltall hatte auch die Sprache betroffen; die bescheidenen Lebensumstände auf Stygia verbesserten den Wortschatz ebenfalls nicht gerade.

»Wie alt ist Astaroth?« fragte Fremant seine Wirtin.

»Er müsste um die sechzig sein, vielleicht ein oder zwei Jahre mehr oder weniger.« Ihr Atem verströmte das übliche Aroma.

Fremant war überrascht. Er musste sich erst noch daran gewöhnten, dass ein stygisches Jahr nur zweihunderteinundneunzig Erdentage zählte, nur vier Fünftel des Erdenjahres.

»Seine Frau Ameethira ist um die Siebzig, aber sie lässt sich nicht mehr sehen«, sagte Bellamia. Sie schnalzte missbilligend mit der Zunge und schüttelte finster den Kopf.

Gegen Mittag zog der Schatten der Brauerei, in der Buskade gebraut wurde, über Bellamias Haus hinweg. Gegenüber der Brauerei stand eine Kirche, die Kirche der Kosmonauten. Ihre klagende Glocke ertönte an jedem siebten Tag. Viele Büßer trafen sich dort, sich zu beklagen und gegenseitig zu trösten.

Die Stadt Stygia lag in der gemäßigten Klimazone des Planeten. Die Menschen unter Astaroths Herrschaft, deren Einzelteile in tiefgekühlten Behältern von der Erde hierher gelangt waren, lebten in armseligen Hütten, die sich um Plätze herum drängten. Auf diesen Plätzen fand noch eine Art Leben statt. In den Speiselokalen hörte man so etwas wie Musik, die von einem einzigen Instrument erzeugt wurde; die Menschen aßen dort an der frischen Luft. An seinem freien Abend traf Fremant eine Frau, die ihm sehr gefiel.

Diese Frau war, wie alle stygischen Frauen bis auf die ganz

alten Weiber, verschleiert und trug ein Kopftuch, wenn sie aus dem Haus ging. Fremant sah nie ihr Gesicht. Sie sagte ihm, ihr Name sei Dämmerschein. Sie hielten sich an den Händen und er sah auf ihre Finger, weil er ihre Augen nicht sehen konnte. Die Finger waren schlank, die Nägel blass und spitz zugefeilt.

Dämmerschein war von kleiner Statur. Er war fasziniert und amüsiert von der Art, wie sie konstant mit ihren zarten Händen gestikulierte, als besäßen sie eine ihnen eigene unterdrückte Beredsamkeit.

Ihr Liebeswerben verlief schleppend. Fremant hatte wenig Gelegenheit, Zeit mit Dämmerschein zu verbringen. Die Gesetze verboten Liebe und Liebesspiel. Außerdem gab es Zeiten, zu denen Stygia Lichtaus durchlief, wie man sagte, wenn sich ein Schleier dunkler Materie zwischen den Planeten und seine Sonne schob. Dieser Schleier überzog den Himmel; Hunderte kleiner, felsiger Trümmer, schwarz und abschreckend, die Licht und Wärme abschnitten, während die Menschen in ihren Häusern blieben und schwiegen, nur herumlagen und darauf warteten, dass das Gute auf die Welt zurückkehrte.

Nach alter Sitte warf sich Fremant auf seine Matte und versuchte zu schlafen. Alpträume erfüllten seinen schlafenden Geist. Erst schien er stundenlang durch eine Wüste zu marschieren. Dann wollte er das Fleisch einer Frau lecken, die aufgrund einer eiternden Fistel stank. Ein gigantischer Mann versuchte, ihn davon wegzuzerren.

Fremant erwachte, weil man ihn auf die Füße zerrte. Man stülpte ihm eine Kapuze über den Kopf und brachte ihn zu einem neuen Verhörspezialisten. Dass man ihm die Sicht nahm, grenzte an sich schon an Folter.

»Du hast mit einer Hure zusammengelebt?« hieß es.

»Nein.« Er war auf einen Hocker gefesselt und hatte schreckliche Angst. »Um Allahs willen, sagen Sie mir, wo ich bin.«

So etwas wie ein Kichern des Vernehmenden. »Du bist weit

weg von zu Hause, Gefangener. Du bist in Usbekistan, weit weg von den Gesetzen der EU …«

»Nicht in Syrien?«

»Du hast doch gehört, was ich gesagt habe.«

»Verschonen Sie mich. Haben Sie Mitleid mit mir! Bitte sagen Sie mir, welches Datum wir haben und wo wir sind. Ich … ich habe die Orientierung verloren. Bitte! Ich habe psychische Probleme.«

Er legte den oft gefalteten Brief eines Psychiaters des psychiatrischen Instituts von Maudsley vor, bei dem er gewesen war, und der diagnostizierte, dass das Gefühl von Isolation oder Unsicherheit in Bezug auf Zeit und Ort, eine dissoziative Persönlichkeitsstörung verstärkte, die zur Ausbildung von multiplen Persönlichkeiten führen konnte. Eine Behandlung sei angeraten.

Der Verhörbeamte warf einen Blick auf den Brief, dann faltete er ihn wieder zusammen und zerriss ihn in Fetzen. Er tippte eine Notiz in sein Laptop.

»Du bist hier in Nimmerland und es ist verdammt noch mal Weihnachten!« Dann wiederholte er seine Frage: »Du hast mit einer Hure zusammengelebt?«

»Ich lebe mit meiner Frau. Sie ist eine gute Frau und ganz bestimmt keine Hure.«

»Sie ist eine Weiße. Wenn sie dich geheiratet hat, ist sie eine Hure.«

In dem Verhörraum stank es, eine Mischung aus Angst, Blut, Schweiß und Bosheit. Es gab keine Fenster, die man öffnen konnte, um frische Luft hereinzulassen. Frische Luft stand für Freiheit.

Ein Knüppel traf ihn in die Rippen. Er schrie vor Schmerz auf.

»Nenn ihren Namen.«

»Sie kennen ihren Namen.«

Wieder ein Schlag in die Rippen.

»Der Name, du Saukerl.«

»Doris.«

»Sie war deine Tarnung, während du die Vernichtung der Regierung geplant hast.«

»Sie ist meine Frau, und ich liebe sie. Ich habe keine Vernichtung geplant. Ich habe gelebt wie ein ganz gewöhnlicher Engländer, nur dass ich Moslem bin.«

»Du Wurm, du hast eine unbescholtene englische Frau unter Vortäuschung falscher Tatsachen geheiratet. Gib es zu … Gib es verdammt noch mal zu!«

»Nein, nein, das ist nicht wahr. Doris und ich, wir lieben … aua! Aaah!«

Der Hieb traf ihn mitten im Rücken. Einer der Wächter hob den Knüppel, riss den Kopf des Gefangenen B nach hinten und drückte ihm den Knüppel gegen den Kehlkopf, bis er kaum noch Luft bekam. In der Dunkelheit der Kapuze sah er Sterne. Er hörte kaum noch, was der Vernehmende sagte.

»Du hast die Schlampe gezwungen, zum Islam zu konvertieren, nicht wahr?«

»Das war …« er konnte kaum sprechen, »… freiwillig.«

»Deine Hure hasst dich. Sie sagt, du hast dich mit Leuten von der Hamas getroffen, als du in der Moschee von Qem warst.«

»Nein, nein, das stimmt nicht …«

»Oh doch, das ist verdammt noch mal wahr. Hör zu!«

Der Mann spielte ihm einen Mitschnitt vor. Gefangener B hörte die Schmerzenschreie seiner Frau. Sie flehte sie an, den brennenden elektrischen Strom nicht wieder anzulegen, nicht an *die* Stelle … Dann wieder Schmerzensschreie. Mit schwacher Stimme sagte sie: *»Ich hasse Paul«*. Ihr wurden Worte in den Mund gelegt. »Und er hat sich mit Mitgliedern der Hamas getroffen?« … Oh, ja, ja, sagte sie. Sie weinte. Er hat sich mit Mitgliedern der Hamas getroffen. Wo war das? Es war in der Moschee von Qem und noch woanders … *Na gut, es war in der Moschee von Qem*. Und auch anderswo, du Kuh! *Ja gut, und* *anderswo. Oh Paul, es tut mir so leid … Auuuuuu … Nicht noch mal, bitte nicht …*

Ihre Schmerzenschreie wurden abgeschaltet. Trotz seines Entsetzens dachte er, sie kann nichts dafür, dass sie mich verraten hat. Der Schmerz war zu groß für sie. Ich verstehe das, Doris, mein armer, süßer Liebling, ich verstehe das. Später, allein, wollte er sich einreden, dass die Aufnahme eine Fälschung war. Nicht die Stimme seiner Frau. Alles blieb ungewiss.

»Du bleibst hier und denkst darüber nach, du kleiner Wichser.«

Die Wächter schnallten ihn noch gründlicher an den Stuhl, mit Fesseln um Knöchel und Brust. Sie schnürten die Gurte so fest, dass jeder Atemzug zur Qual wurde. Er hörte, wie der Vernehmungsbeamte ging. Die Wachen blieben. Obwohl sie nicht sprachen, spürte er ihre Gegenwart. Einer rieb sich die Stoppeln im Gesicht, der andere kratzte sich am Sack.

Der Gefangene B wartete, zitterte vor Angst in Erwartung der nächsten Strafaktion, obwohl es nur wenig Schlimmeres geben konnte, als den Schmerzensschreien seiner Frau zuhören zu müssen. Das Wissen, dass sie Doris ebenso folterten wie ihn, war unerträglich, eine Schande für das System. Er dachte, was für ein unbedeutender Wurm er doch war. Die Zeit verging. Er konnte nicht abschätzen, wie viel Zeit.

Allmählich verlor er den Bezug zur Realität. Er hatte ein neues Stadium erreicht, in dem die Dinge wahrscheinlich nicht so waren, wie sie schienen, in dem Unterschiede zwischen Tag und Nacht nicht mehr existierten. Die Abfolge der Mahlzeiten verriet kein bestimmtes Muster mehr. Nass und trocken, sauber und schmutzig, Wahrheit und Lüge verschwammen ineinander.

Sein Schädel pochte laut. Allmählich wurde der Druck auf seine Blase drängend. Er versuchte, jeden Gedanken ans Urinieren zu unterdrücken. Vielleicht legten sie es darauf an, dass er sich einnässte und so seine Demütigung noch steigerte.

Die Schwärze in der Kapuze war vollkommen. Er bekam kaum Luft. Er hatte Angst vor einem Herzinfarkt.

Es war eine Erleichterung, als eine Wache seinen Arm ergriff. »Na gut, steh auf.«

»Ich muss zur Toilette. Bitte!« keuchte er, während die Fesseln gelöst wurden und er sich hochmühte.

Er wusste, dass es ein Fehler war. Er hörte das spöttische Lachen in der Stimme des Mannes, der sagte: »Du musst noch etwas warten ...«

Sie stellten ihn an eine Wand. Er war immer noch in dem Verhörraum. Die Kapuze wurde von seinem Kopf gezogen. In der frischeren Luft rang er gierig nach Atem. Er spürte, dass sein Gesicht vor Schweiß troff. Die Gesichter der Wachen waren vertraut. Einer, der größere der beiden, hatte fette rosige Schweinsbäckchen und eine Knubbelnase; der andere, jüngere, ein langes, teigiges Gesicht ohne jeden Ausdruck, mit eng zusammenstehenden dunklen Augen.

Der Gefangene B spürte, dass der Ältere der beiden kein Sadist war, dass er nur seinen Job machte in dieser grausamen Maschinerie aus Verhören und den Regeln des alten KUBARK-Handbuchs der CIA. Er hielt diesen Mann für einen Engländer. Bei dem anderen wusste er es nicht.

Er sprach den Älteren an, der ihm weniger grausam erschien.

»Oh, bitte. Ich muss zur Toilette. Ich platze.«

»Verkneif's dir.«

»Ich platze. Ist das hier Guantanamo? Sind wir in Guantanamo?«

Der jüngere Wachtposten, der mit dem blassen Gesicht, schlug ihm in den Magen.

»Keine Fragen.«

Sie führten ihn in den Korridor. Er litt solche Qualen, er hielt es nicht länger aus. Um sich nicht selbst einzunässen, zerrte er den Penis heraus und urinierte in hohem Bogen gegen die

Wand. Die Flüssigkeit schoss heraus und bespritzte die Wachen. Es war eine so unglaubliche Erleichterung, dass er ihre Schläge kaum spürte, bis er nach einem Faustschlag hinter das Ohr in die Knie ging.

Er fiel, urinierte dabei weiter, und lag dann schluchzend in einer Pfütze seiner eigenen Pisse.

2

Etwas später erkannte er, dass er in einem kleinen See schwamm. Er musste sich erst daran gewöhnen, dass das real war. Das Wasser war zwar warm, aber die Luft kalt, und über ihm erstreckte sich eine Dunkelheit mit schwarzen Flecken. Der Schleier zog vorbei, die Schicht aus Staub und Trümmerstücken in der höheren Atmosphäre, die Lichtaus bewirkte. Er und Dämmerschein nutzen Lichtaus, um den See zu überqueren und Freunde von ihr zu besuchen.

Dämmerschein trug immer noch ihren alles verhüllenden Schleier. Sie schwamm kraftvoll neben ihm. Schließlich trafen seine Füße auf Stein. Vage konnte er das Ufer und niedrige Hügel dahinter ausmachen, obwohl das fehlende Licht keine Einzelheiten erkennen ließ. Als Fremant Sand unter den Füßen spürte, drehte er sich um und half der Frau ans Ufer.

Mit tropfnasser Kleidung gelangten sie ans Ufer. Sobald sie das Wasser verlassen hatten, spürten sie die Kälte. Vor ihnen verlangte jemand ein Passwort. Sie antwortete. Ein Mann kam zu ihnen und führte sie auf einen Pfad. Ein paar Männer traten stillschweigend näher, ohne eine Laterne zu benutzen. Er spürte ihre Feindseligkeit.

Er war eingeschüchtert. Das lange, grobe Gras Stygias strich an ihren Beinen entlang. Sie wurden zu einer Hütte hinter einer Anhöhe geführt, und man bedeutete ihnen einzutreten. Die Männer folgten und schlossen die Tür. Sie durchschritten ein Insektennetz. Dann wurde eine Lampe angezündet. Sie befanden sich in einem langgezogenen, mit Tischen und Bänken möblierten Raum.

An einer Seite stand ein Ofen aus Gusseisen. Eine Frau öffnete die Luke in der Mitte, Wärme strömte in den Raum. Dämmerschein und Fremant wurden angewiesen, sich dorthin zu setzen, damit ihre Kleider schneller trockneten. Sie waren froh darüber und standen zitternd davor, die Hände den Flammen entgegengestreckt. Ihre Hände waren lang und spitz.

Ein hochgewachsener alter Mann mit silberner Mähne kam nach vorn und ergriff mit einer Willkommensgeste ihrer beider Hände.

»Mein Name ist Habander. Ich gehöre zur Loge der Verstohlenen. Wir heißen euch hier willkommen, müssen euch aber durchsuchen.«

Während der Durchsuchung blickte Habander das Mädchen fragend an.

Dämmerschein drängte Fremant, sich vorzustellen.

»Niemand weiß, dass er hier ist«, sagte sie, wobei ihre gestikulierenden Hände gleichzeitig die Situation zu erklären suchten. »Er ist einer der vier Leibwächter von Astaroth. Er muss zurück in der Zentrale sein, bevor der Schleier weitergezogen ist. Während Lichtaus schließt sich Astaroth immer allein ein. Danach kommt er wieder heraus und kontrolliert, ob alles so ist, wie es sein sollte.«

»Woher weißt du, dass er allein ist? Vollkommen allein?« fragte Habander. »Und seine … äh, seine Frau?«

Die Hände flatterten. »Ameethera? Sie sind fast nie zusammen …«

Sie seufzte und sah zur Seite.

Fremant war nervös. Da war etwas, das er nicht verstand.

Worte des Willkommens kamen aus den Kehlen von vielen der Männer und Frauen, die sich in diesem langen kargen Raum versammelt hatten. Sie hatten Dämmerschein erkannt. Fremant sah sich um. Der Raum roch nach Schweiß und Essen und Urin. Die Männer hier schienen nervös, nicht aus dem Holz, aus dem Kämpfer geschnitzt sind. Eigentlich eher so wie er selbst.

»Weswegen die ganze Heimlichkeit?« fragte er.

Habander antwortete. Er war mit seinen Gefährten von den Verstohlenen in dem Raumschiff nach Stygia gekommen. Der

Kapitän, Kapitän Calex, war ein weiser, mitfühlender Mann gewesen, ein großer Denker. Er hatte die Verirrungen und die Schrecken der menschlichen Kulturen gehasst und sich wie ein Pilgervater den Planeten Stygia ausgesucht, um dort eine gerechtere Welt aufzubauen. Viele derjenigen, die bis auf die Grundstrukturen zerlegt mit ihm in dem Schiff reisten, teilten seine Gedanken. Viele, aber nicht alle.

Als die Kolonisten schließlich rekonstituiert waren und das Schiff auf dem Planeten landete, hielt Kapitän Calex eine bewegende Rede, wie Habander erklärte.

»Er sagte, wir würden eine einzige, friedliche Kultur aufbauen, ohne die Streitigkeiten, die die Erde mit ihrer vergifteten Geschichte geplagt hatten. Unsere erste große Anstrengung wird es sein, freundschaftliche Beziehungen zu den Eingeborenen aufzubauen, die auf diesem Planeten leben. Wir dürfen uns hier nicht vermehren, solange wir auf diesem Planeten keinen Frieden haben. Frieden ist wichtiger als alles andere. Sie sind uns fremd, das sagte er, aber wir müssen uns dieser Fremdheit stellen und darauf vorbereitet sein. Alle verbliebenen Waffen sind zu vernichten …«

Während Habander diese edle Rede mit seiner eigenen Beredsamkeit wiedergab, hielt Fremant mit gleicher Leidenschaft Zwiesprache mit sich selbst: »Wer sind diese verrückten Leute? Da arbeite ich lieber in der Zentrale. So anmaßend Astaroth auch ist, er ist wenigstens vernünftig. Na schön, er hat seine Macken, und natürlich diese abstoßende Religion. Warum habe ich zugelassen, dass Dämmerschein mich zu diesem Haufen Irrer bringt?

Wie kommt es, dass ich diesem Luder vertraue, wo ich doch nicht einmal ihr Gesicht sehen kann? Warum spiele ich im Leben immer untergeordnete Rollen? Was bin ich für ein Versager! Und dann diese Wahnvorstellungen, wo ich scheinbar irgendwo ein Gefangener bin und gefoltert werde … Ich bin noch nicht einmal dreißig – ich sollte deswegen zu einem Arzt gehen. Habander ist auch nur eine Ausgeburt meiner Phantasie.«

Aber Habander schloss gerade seine Schilderung damit ab, dass er erzählte, wie, noch bevor der Kapitän seine Ansprache beenden konnte, eine Gestalt mit einem Messer auf die Rednertribüne sprang.

Die Zuschauer schrien begeistert auf. Sie erkannten in dem Angreifer Astaroth. Auf dem Schiff, nach der Rekonstitution, war Astaroth der Anführer einer Gruppierung gewesen, die sich die WAAbiten nannte, die Opposition der Calex-Partei. Die Calex-Partei hatte in ihrem Bestreben, den Frieden zu wahren, alle Waffen auf dem Schiff vernichtet. Nur Astaroth versteckte eine.

Das Messer fuhr herab. Kapitän Calex hob abwehrend einen Arm gegen seinen Angreifer. Das Messer traf ihn ins Herz. Er brach tot zusammen.

Viele in der Menge keuchten entsetzt auf, während die waabitische Partei jubelte. Der Attentäter rief: »Ich bin Astaroth! Ihr werdet mich noch kennenlernen! Der tote Mann hier hat euch alle fehlgeleitet. Er war der Dummkopf von Führer, der unsere Waffen zerstört hat. Die Eingeborenen hier, diese primitiven Hundehalter, werden sich erheben und uns alle töten, wenn wir keine Stärke zeigen. Wir sind nur eine Handvoll Menschen. Niemand weiß, wie viele Millionen es von denen gibt! Wir müssen sie bekämpfen und dürfen dabei nicht zaghaft sein!«

Und so kam, sagte Habander, Astaroth mit seinem strengen asketischen Glauben an die Macht und nannte sich der Allmächtige. Er behauptete, geheime Befehle von der fernen Erde zu haben, speziell vom WAA. Und aufgrund dieser Befehle, erklärte er, rotteten er und seine Leute die Eingeborenen aus. Einsatzkommandos wurden aus der Stadt ausgeschickt.

»Wir, die Verstohlenen, wollen Astaroth stürzen. Wir möchten mit den Eingeborenen Frieden schließen – denen, die noch am Leben sind.«

Habander hielt inne. Dann sprach er leise zu Fremant. »Die Frau, die du Dämmerschein nennst, hat dich zu uns gebracht. Wir wissen, wer sie ist. Wir wissen, du bist ein Leibwächter Astaroths. Wie können wir dir vertrauen?«

Als er in Habanders Gesicht sah, fühlte Fremant so etwas wie Mitgefühl. Das war ein Mann, der gemocht werden wollte – also ein Verlierer. Er war ein Versager, aber er hatte recht damit, sich gegen Astaroths Politik des Genozids zu stemmen.

»In einem anderen Leben war ich ein friedlicher Mann, Habander. Ich war Schriftsteller. Ich schrieb humoristische Romane. Die einzige Arbeit, die ich hier finden konnte, war die als Leibwächter. Ich versichere dir, ich mag Astaroth nicht.«

Mehrere Verstohlene waren hinzugetreten und folgten dem Gespräch misstrauisch. Einer, bärtig und weiß wie die Wand, fragte herausfordernd: »Welchen Namen trägt dein Gott?«

»Gott? Glaub mir, ich bin so arm, dass ich mir keinen Gott leisten kann.«

Die Gruppe murmelte daraufhin miteinander. »Was ist denn mit Gott?« fragte Fremant gereizt. »Wer ist euer Gott?«

Der bleiche Mann schob sich wieder vor und deutete mit einem dreckigen Finger auf Fremant. »Wir sind alle rekonstituiert. Das ist eine Auferstehung. Deswegen wissen wir, unser Gott ist groß und herrscht über diese insektengeplagte Welt. Sein Name darf nicht genannt werden – ganz bestimmt nicht dir gegenüber, Fremder.«

Habander ergriff tadelnd das Wort. »Bitte beleidige diesen Mann nicht, auf dessen Hilfe wir angewiesen sind.« Er wandte sich zu Fremant und sprach mit gedämpfter Stimme. »Wir verzichten darauf, den Namen unseres Gottes auszusprechen, damit die Insektenwelt ihn nicht hört, weil sie sonst Macht über uns gewinnen könnte. Aber du musst uns glauben, dass unser Gott groß ist und die Wolken und die Meere Stygias beherrscht.«

Fremant hatte das Gerede satt und wollte wieder in der Zentrale sein, bevor der Schleier vorbeigezogen war.

»Was hat das alles mit mir zu tun?« fragte er verächtlich.

Dämmerschein berührte seinen Arm. »Wir brauchen dich, damit du Astaroth tötest«, sagte sie. Mit den mageren kleinen Händen simulierte sie ein fallendes Henkersbeil.

Die kleine Gemeinschaft klatschte und jubelte.

Fremant holte tief Luft. »Hat nicht einer von euch Verstohlenen den Mumm, Astaroth selbst zu töten?« Später begriff er, dass er ab diesem Augenblick kein Verlierer mehr war und zu etwas Respektablerem wurde. Er war in die Dienste eines Mannes getreten, den er hasste und verachtete – ja, und auch fürchtete. Astaroth war ein Diktator. Ja, es würde seine Seele reinigen, ihn zu ermorden.

Ein kleiner kahlköpfiger Mann mit einem dünnen Schnurrbart antwortete ihm. »Drei von uns haben in den letzten Monaten versucht, den verhassten Astaroth, den Allmächtigen, zu töten. Alle sind bei dem Versuch umgekommen. Aber du kommst im Verlauf deines Dienstes sehr nahe an ihn heran.«

»Ja, dann wären wir wieder im Spiel!« zwitscherte ein anderer. »Im Spiel!«

»Gut, ihr sollt euer Spiel haben, aber ich tanze trotzdem nicht nach eurer Pfeife«, sagte Fremant, war sich aber nicht sicher, ob sie den Sinn des Wortspiels begriffen. »Was unternimmt euer geheimer Gott denn gegen all das?«

»Ich flehe dich an!« Dämmerschein klammerte sich an seinen Arm. »Du bist so tapfer, Fremant, mein Liebster. Tu es, damit wir aus der Tyrannei befreit werden. Dann werde ich dir gehören.«

»Na gut. Ich tue es. Ich töte ihn. Ich brauche keinen namenlosen Gott! Ich bin kein Feigling.«

Er musste einen Eid auf ein selbstgezimmertes Holzschwert ablegen. Der Zorn in ihm wuchs. Diese armen heimatlosen Leute versteckten sich auf dieser Insel. Auch wenn Stygia kein

Paradies war, sollten sie doch imstande sein, ein ruhiges, normales Leben zu führen. Das wäre ihnen vielleicht vergönnt, wenn er Astaroth tötete. Vor seinem inneren Auge sah er sich die Tat vollbringen – und dafür den Ruhm ernten …

Er und die verschleierte Frau schwammen über den See zurück. Während der ganzen Zeit wuchs sein Zorn. Als sie ans Ufer kletterten, verlangte er von ihr zu wissen, warum sie ihm nicht gesagt hatte, was ihm bevorstand. Sie sagte, sie vertraue ihm und die Geheimhaltung sei wichtig. Sie würde ihn lieben.

»Lieben? Lieben? Du vertraust mir nicht einmal soweit, dass du mich dein Gesicht sehen lässt!«

»Das ist hier so Sitte, Liebster … Du weißt, Astaroth besteht darauf, dass Frauen verschleiert sind.«

»Astaroth!« Astaramson … Ramson, Ramson? Wer war … aber der Gedanke entschlüpfte ihm wie ein kleiner Fisch zwischen Schilfhalmen.

In einem Anfall von Jähzorn warf er sie am Ufer zu Boden und setzte sich auf sie. Er zerrte und zog an ihrem fest um den Hals verknoteten Kopftuch. Er riss es herunter und starrte in das im fahlen Licht graue Gesicht von Aster, der Frau oder Geliebten Astaroths.

»Du, du kaltherzige Schlampe? Du würdest deinen Mann der Liebe wegen töten – nicht aus moralischen Erwägungen? Was für eine Frau bist du nur?«

»Lass mich los! Ich hasse ihn. Ich hasse diesen brutalen Kerl. Du kannst dir gar nicht vorstellen, wie sehr!« Ihr Gesicht zeigte heftigste Abscheu.

»Du ekliges, intrigantes Insekt! Du hast mich getäuscht! Warum konntest du nicht ehrlich sein?«

»Du weißt nicht, was ich …«

»Du weißt nicht, was das Wort ›ehrlich‹ bedeutet? Ich zeige dir, was es bedeutet!«

Er machte sie mundtot. Riss ihr die Kleider vom Leib. Sie

kämpfte lautlos gegen ihn, wollte ihn kratzen und beißen, während sie im Schlamm rollten. Doch er behielt knurrend vor Wut und Begierde die Oberhand, riss ihr schließlich die Unterwäsche herunter, riss sie von den Beinen. Der animalische Geruch ihres Körpers raubte ihm die Besinnung. Er stieß sein Fleisch gewaltsam und brutal und bar jeder Lust in sie hinein – die Tat eines Siegers. Aster wehrte sich nicht mehr. Sie stöhnte, eine Mischung aus Schmerz und Lust, obwohl ihr Gesicht immer noch wutverzerrt aussah.

Der Schleier glitt weiter dem Horizont im Westen entgegen und machte einer kränklichen Dämmerung Platz.

Wortlos kehrten sie in die Zentrale zurück. Sie hatte sich notdürftig mit ihrer zerrissenen Kleidung bedeckt und schluchzte leise …

Als sie bebautes Gelände erreichten, trennte sie sich ohne ein Wort von ihm, warf nur noch einen verbitterten Blick über die Schulter. In seiner Kammer ließ er sich trotz seiner nassen Kleidung auf die Matratze fallen und versank in einem kalten, dunklen Teich der Erschöpfung.

Er wollte gerade vor den Allmächtigen treten, als der Alptraum ihn übermannte und die beiden Wachtposten ihn auf die Füße zerrten. Der Raum lag im Dunkel, und eine Laterne, die eine der Wachen auf dem Boden abgestellt hatte, um beide Hände frei zu haben, warf bedrohliche Schatten.

»Wir haben heute eine Überraschung für dich. Heute führt jemand ganz Besonderes das Verhör. Nimm dich besser in Acht, Kumpel.«

»Wer?«

»Der Weihnachtsmann. Beweg dich und stell keine Fragen!«

Sie halfen dem Gefangenen B durch den Korridor, seine Füße schleiften über den Boden. Der Korridor war mit einem groben Teppich bedeckt, vielleicht Kokosfasern. Es handelte sich nicht um den üblichen Korridor, durch den sie ihn bisher immer geschleift hatten. Sie stießen ihn in einen Raum, in dem er noch nicht gewesen war. Er wurde an einen Stuhl gefesselt, sein Kopf in eine Art Schraubzwinge gespannt, sodass er ihn nicht bewegen konnte. Der ältere Wachmann zog zwei Kabel von einer neben ihm stehenden Maschine heran und befestigte sie mit Klemmen links und rechts an seinen Schläfen.

Dann traten sie zurück, setzten sich auf ein verstaubtes Sofa und warteten. Sie murmelten halblaut miteinander, beschwerten sich über die Zustände. Der Gefangene hörte einen sagen: »Schließlich sind die Amis die einzigen Freunde, die wir haben.«

»Was ist mir den Franzosen?«

»Die Franzosen? Vergiss es!«

Eine klassische Methode des Terrors besteht darin, Gefangene darauf warten zu lassen, was ihnen bevorstehen könnte. Die Furcht und die Vorstellungen wirken Wunder, um sie zu brechen.

Langsam wurde sich der Gefangene B seiner Umgebung bewusst. Er wartete in einem kleinen Teil eines vormals sehr viel größeren, prunkvollen Raums. Trennwände ließen nur einen kleinen Teil des ehemaligen Zimmers übrig. Durch eine der Trennwände hörte man einen Mann greinen: »Ich gestehe. Ich habe es getan. Ich weiß, ich habe es getan. Ich gestehe, ich habe es getan. Ich habe nicht gewusst, was ich tue. Es war mir nicht klar. Ich gestehe, dass ich es getan habe. Verschont mich«, wieder und wieder. Die Wiederholung nahm den Worten jede Eindringlichkeit.

Ein Zeichen der Größe, die das Leben in dieser prächtigen Villa einst bestimmt hatte, war eine Büste, die in einer Nische in der Wand direkt über Augenhöhe stand. Die Büste umgab ein Kranz aus Stein geschlagener Lorbeerzweige. Sie war aus weißem Marmor. Es war der Kopf eines älteren Manns mit lokkigem Haar und einer scharf geschnittenen Patriziernase. Die toten Lippen waren geschürzt; sein steinerner Blick richtete sich auf die im Raum befindlichen Personen. Er spiegelte Verachtung.

Unter der Büste standen Name und Titel. Ein General, ein in den Adelsstand erhobener Führer von Armeen.

Jetzt spannte sich ein Spinnennetz über das Relief der Buchstaben. Es schien eindeutig, dass er für den Tod sehr vieler Menschen verantwortlich war, Soldaten des Feindes und seiner eigenen Landsleute, die keine andere Wahl gehabt hatten, als ihm zu folgen. Für dieses Blutbad hatte eine dankbare Nation ihn geehrt.

Der Gefangene betrachtete dieses Überbleibsel der guten alten Zeit mit dumpfem Staunen. Es könnte sein, spekulierte er, dass diese Büste ein Zeichen dafür war, dass er in einem großen, pompösen Gebäude gefangen gehalten wurde, einst Britische Botschaft in einer ausländischen Hauptstadt. Bagdad? Damaskus? Jemand hatte ihm gesagt, dass er nach Syrien verschleppt worden war. Die Spekulation war alles andere als ermutigend.

Er konnte sich nicht erinnern, wie er hierher gekommen war. Alles war ungewiss. In seinem verwirrten Zustand überlegte er, ob wohl alle Menschen aus Stein gehauen sein mochten.

Ein großer, schwergewichtiger Mann betrat den Raum durch eine Hintertür, begleitet von einem kleinen, eifrigen Kerl, der um ihn herumscharwenzelte. Der große Mann schritt zu einem Stuhl und blieb dort abwartend stehen. Er starrte so ausdruckslos vor sich hin wie die Büste über ihm, während sein Untergebener ein Kissen auf den Stuhl legte und es demonstrativ zurechtrückte. Der große Mann setzte sich und legte ein Buch vor sich auf den Tisch.

Er sah den Gefangenen B mit einem krötengleichen, starren Blick an. Er begann mit tiefer Stimme und ausgesuchter Höflichkeit zu sprechen.

»Guten Morgen, mein Name ist Abraham Ramson. Ich bekleide den Rang eines Obersten Staatlichen Inspekteurs der Western Armed Alliance, und eine hochrangige Position in der amerikanischen Gerichtsbarkeit, die feindliche Aktivitäten auf der ganzen Welt untersucht. Ich bin auf beiden Seiten des Atlantiks als Militärrichter bekannt, und berühmt, weil das Leben vieler Verbrecher in meiner Hand liegt. Ich sehe meine Aufgabe darin, Terroristen in Angst zu versetzen. Ich habe vielen berühmten Prozessen vorgesessen, und obwohl ich natürlich an Gerechtigkeit interessiert bin, liegt mir weit mehr daran, das Weiterbestehen der westlichen Zivilisation zu sichern, die das wichtigste Bollwerk aufgeklärten Rechts und Anstands auf der Welt ist, ganz gewiss im Vergleich zu den primitiven und abergläubischen Stammessystemen, die im Mittleren Osten vorherrschen. Als Moslem wird Ihnen bekannt sein, dass wir im Westen ...«

Hier unterbrach der Gefangene, um darauf hinzuweisen, dass er nicht dem islamischen Glauben angehörte.

»Du hältst die Schnauze, du Mistkäfer, wenn ich rede!«

»... wir im Westen verabscheuen das Recht der Scharia und viele islamische Gesetze, von der Beschneidung von Frauen, bis hin zur Indoktrinierung von ungebildeten Jugendlichen mit einer Religion, die in vielerlei Hinsicht völlig überholt und menschenverachtend ist.

Sie wissen, was Wahhabismus ist, Gefangener B?«

B wurde von der plötzlichen Frage überrascht. »Wahhabismus? Ja, ich habe davon gehört ...«

»Es ist ein abscheulicher, archaischer Glaube, der Beziehungen zerstört und alles Kreative verkümmern lässt. Wir müssen ihn bekämpfen, bevor er uns zerstört, wie Holzwürmer robuste Eichenbalken zerstören. Die Sklaven Wahabs besitzen die Angewohnheit, wie Holzwürmer die ehrlichen, gesetzestreuen Kulturen, in die ihr euch gemeinsam mit feigen Selbstmordattentätern eingeschlichen habt, zu infiltrieren und versuchen, sie zu zerstören..

All das erkläre ich Ihnen, um Ihnen meine Position deutlich zu machen. Ehe ich Sie verhöre, müssen Sie wissen, dass Sie eine Reihe von Stromschlägen zunehmender Stärke erhalten, wenn Ihre Antworten in irgendeiner Form unbefriedigend sind. Also, Gefangener B, Frage Nummer eins: Was waren Ihre Motive, als Sie diesen subversiven Roman mit dem Titel *Der Rattenfänger von Hament* geschrieben haben?«

Die ganze, absichtlich beleidigende Rede wurde hastig und ohne Pause in einem tiefen, kultivierten, amerikanischen Tonfall heruntergerasselt.

Der Gefangene B zögerte irritiert.

»Ich muss Ihnen erklären, Sir, dass ich in London geboren wurde, im Stadtteil Ealing, und mich selbst immer als Engländer betrachtet habe, bis hin zu der Tatsache …«

»Ich erinnere Sie daran, dass ich fragte, warum Sie dieses verderbliche Buch geschrieben haben.«

»Sir, ich war der Auffassung, ich sei Engländer, und ich habe das Buch in einem humoristisch-satirischen Stil geschrieben, von dem ich hoffte, dass er die Menschen amüsieren würde.«

»Und was für Menschen wollten Sie damit amüsieren?«

»Gewöhnliche, gebildete Menschen, glaube ich.«

»Glauben Sie?« Ein Runzeln zeigte sich auf der breiten Stirn von Abraham Ramson. »Sie meinen selbstverständlich Moslems?«

»Nein, Sir, das englische Lesepublikum im Allgemeinen.«

»Wollen Sie mir widersprechen?« Abraham Ramson gab einen Wink mit der rechten Hand. Ein Mann hinter dem eingeschränkten Gesichtsfeld des Gefangenen B legte einen kleinen Hebel um. Der Stromstoß brannte zwischen den Schläfen des Gefangenen, ein Blitzschlag, unerträglicher Schmerz. Dann war er verschwunden und ließ den Gefangenen mit der Angst zurück, etwas in seinem Gehirn sei durchgebrannt. Er war augenblicklich willfährig.

»Ach, Sir, ich flehe Sie an, bitte tun Sie das nicht noch einmal. Ich will Ihnen nicht widersprechen. Ich gestehe, dass ich es getan habe. Es war mir nicht bewusst. Ich habe jede Hochachtung … Ich bin verwirrt. Ich leide an Schlafmangel. Ich weiß nicht einmal, in welchem Land ich mich befinde. Ich habe meinen Roman in gutem Glauben geschrieben. Wissen Sie, ich verehre die Romane von P. G. Wodehouse, diesem bewundernswerten …«

»Sie sind in Usbekistan, Gefangener, zur gesonderten Vernehmung. Jetzt Frage Nummer Zwei: Warum wurde Ihr Roman in eine fremde Sprache übersetzt und in Teheran veröffentlicht, was schon auf seinen subversiven pro-islamischen Inhalt schließen lässt?«

»Usbekistan, Sir? Ich verstehe nicht. Ich …«

Wieder das Händewinken. Wieder der brennende Schmerz, noch intensiver dieses Mal, während die Welt in qualvoller Blindheit versank.

»Antworten Sie auf die Frage. Warum wurde Ihr stinkender, fauliger Roman in Teheran veröffentlicht?«

»Sir, ich hatte keine Kontrolle darüber, wo das Buch veröffentlicht wurde. Es ist auch in den Vereinigten Staaten erschienen, und …«

Wieder das Händewinken. Wieder ein Stromstoß. Wieder hörte er sein eigenes Schreien.

»Warum in Teheran, Gefangener?«

»Bitte keine Stromschläge mehr, keinen Strom, ich flehe Sie an. Ich versuche … ich versuche zu antworten … wirklich … ich kann nicht … mir wurde gesagt, dass mein Roman von einem kleinen, oppositionellen Verlag in Teheran herausgebracht würde, um zu zeigen, dass Bücher von einem Moslem in einem westlichen Land veröffentlicht werden könnten.«

»Behaupten Sie jetzt, Moslem zu sein oder nicht?«

»Nun, Sir, bitte, Sir …« Er hörte sich stottern wie ein Schuljunge. »Mein Name ist Paul Fadhil Abbas Ali, aber ich bin kein Gläubiger.«

»Sie lügen, Drecksack! Verraten Sie mir, wo die Grenze zwischen einem Moslem und einem Moslemfreund verläuft? Sind Sie den Moslems etwa nicht freundlich gesonnen?«

»Hm. Ja. Nein. In vielen Fällen nicht, aber trotzdem ...«

Wieder das Händewinken. Wieder der Blitz in den Schläfen. Wieder die Schreie. Die Zunge in seinem Mund brannte.

Ramson erklärte ganz beiläufig, dass der Gefangene geplant habe, den Premierminister zu töten.

»Ich würde es nie über mich bringen, einen anderen Menschen zu töten ...«

Abraham Ramson ignorierte die Bemerkung. Er schlug den Roman des Gefangenen auf dem Tisch auf und strich die Seiten mit seiner fleischigen Hand glatt.

Ramsons Augenbrauen trafen sich, als er sprach. »Ich lese jetzt einen Abschnitt auf Seite dreiundfünfzig Ihres unseligen Machwerks vor. ›Sie lachten, während sie durch den Park schlenderten, in dem niemand ihre Witze belauschen oder verstehen konnte, selbst wenn er die Pointen verstand. Darauf Harry: »Wir müssten den Premierminister in die Luft sprengen. Das würde unsere Probleme lösen.« »Ich sehe es vor mir«, sagte Celina lachend. »Fetzen von ihm über die ganze Downing Street verstreut.«‹

Ist das ein Mordaufruf oder nicht?«

Der Gefangene war entsetzt. »Wie können Sie das ernst nehmen? Sie sind beide betrunken, diese Figuren. Lina und die anderen, sie machen nur Spaß. Viele meiner Freunde fanden die Szene komisch.«

»Komisch?« Die Frage explodierte aus seinem Mund. »Fetzen des Premierministers über die Downing Street verstreut? Das finden Sie komisch? Das ist für Sie ein Grund, sich zu amüsieren? Das halten Sie für witzig? Für mich deutet das auf die Vorbereitung eines Anschlags, eines Selbstmordattentats hin, sehen Sie das anders?«

»Nein wirklich, das ist komisch, eine britische Art von Witz. Eine Monty-Python-Art von Witz ...«

»Sie sind ein Verräter, Gefangener. Ein Mistkerl und Arschloch.«

»Ja, Sir, oh ja, ich bin ein Dummkopf, aber – nein, wirklich kein Verräter – und, seit sich die Dinge so zum Schlechten entwikkelt haben, bereue ich, dass ich diese Szene geschrieben habe. Ich meine, seit – jetzt, wo es mit den Terroranschlägen schlimmer geworden ist. Aber ich bin ein unschuldiger Dummkopf, Sir, bitte glauben Sie – Aaaaaaah!«

Wieder die Geste, der Schock, der Schmerz, die Blindheit.

»Niemand ist unschuldig in dieser Welt. Sie haben das Privileg verwirkt, in einem zivilisierten Land leben zu dürfen. Wachen, schafft diese armselige Kreatur weg«, sagte Abraham Ramson.

Als sie den Gefangenen wegschleppten, rief er zurück: »Bitte, Sir, bitte bringen Sie mich nach England zurück. Ich habe diese Strafe nicht verdient!«

»Maul halten, Wurm«, sagte eine der Wachen. Aber freundlich.

Nach dem kurzen Verhör ging Inspekteur Abraham Ramson gemessenen Schrittes den Korridor zum Waschraum hinunter. Sein teurer Anzug saß wie angegossen. Seine Lederschuhe schimmerten. Er kam auf dem Weg zum Waschraum gerade an einem Müllhaufen vorbei, als er auf Algernon Gibbs traf, den Leiter der Einrichtung, ein dürres kleines Männchen mit modischem Dreitagebart und randloser Brille. Sein gefärbtes schwarzes Haar war exakt in der Mitte gescheitelt.

»Läuft alles zur Zufriedenheit, Inspekteur?« fragte er mit gezwungenem Lächeln.

Ohne langsamer zu werden erwiderte Ramson: »Gefangener B sagt, er sei ein Trottel und ich glaube ihm. Er ist ein Trottel.«

Gibbs kicherte unsicher. Er mochte den bulligen Ramson nicht und fand es bedauerlich, dass dieser von höherer Stelle hergeschickt worden war, um sich in den Betrieb seines Arbeitsbereiches einzumischen. Er folgte Ramson in den Waschraum.

Weiße Fliesen und Spiegel an den Wänden. Urin in der Pinkelrinne. Gefängnisdirektor Gibbs musterte sich verstohlen im Spiegel. Ihm gefiel, was er sah, vor allem der Unterschied zwischen seinen eigenen blassen Händen – eleganten Händen, wie er meinte – und den großen, klobigen Fingern seines Besuchers.

»Wen haben wir als nächsten?« fragte Ramson, während er das Jackett auszog und auf einen Haken hängte. »Hoffentlich jemand, der auch ein richtiges Verhör wert ist. Jemand, der schon einen Schuss Bösartigkeit in sich hat?« Er krempelte die Ärmel hoch. Gibbs zückte eine Zigarettenpackung und bot dem Amerikaner eine an.

»Sie rauchen diese widerlichen Dinger doch nicht immer noch?« fragte Ramson ablehnend.

»Die Last der Verantwortung, Sie wissen schon … Manchmal sind die Gefangenen …«

Seine Stimme wurde übertönt, als Ramson die Mischbatterie betätigte und Wasser aus dem Hahn schoss. Er drückte mehrmals auf den Flüssigseifespender und verrieb die Seife kraftvoll, bis ein feiner Schaumfilm seine Hände bis zu den haarigen Gelenken bedeckte.

»Ich werde mir die Akten mal ansehen. Ich bin zu dem Schluss gekommen, dass Sie mit diesem Kerl B Ihre Zeit verschwenden, Algy.«

»Die Akten stehen Ihnen natürlich zur Verfügung, Inspektor.« Gibbs Stimme klang reserviert. Es wurmte ihn, dass sein Gast seinen Vornamen benutzte, sogar abkürzte.

Ramson griff sich zwei Papiertücher und trocknete sich energisch ab, wobei er den kleineren Mann ignorierte. »Helfen Sie mir in die Jacke, ja?«

Im Archiv setzte er sich vor einen Computer und tippte das verschlüsselte Passwort ein.

»Hätten Sie gern etwas zu trinken? Ein Bier, oder etwas Stärkeres?« fragte Gibbs.

»Ich trinke nicht, Algy. Ich hätte gedacht, dass Sie das wissen.«

»Wie wäre es mit einem Glas Mineralwasser? Oder doch etwas Stärkeres? Limonade vielleicht?« Ein schmales Lächeln.

»Mineralwasser ist gut. Mit Kohlensäure. Und Eis, wenn Sie haben. Viel Eis.«

Gibbs ging zur Tür, winkte einen Assistenten heran und sagte leise: »Ein Glas Mineralwasser. Aber ohne Eis, okay?«

Ramson rief die Akte des Gefangenen B auf.

Der Bildschirm zeigte eine ausführliche Auflistung des Werdegangs des Gefangenen B.

Sein Großvater hatte die Provinz Hyderabad in Indien verlassen, um sich als Tagelöhner im damals von den Briten beherrschten Uganda zu verdingen. Er arbeitete dort in einer Kupfermine. Er heiratete und seine Frau gebar ihm drei Söhne und eine Tochter. Einer der drei Söhne war der Vater von B.

Dieser Sohn war geschäftstüchtig. Er gründete einen kleinen Lebensmittelladen in Kampala, der Hauptstadt Ugandas. Der Laden bediente nicht nur die achtzehn Prozent Moslems unter der ugandischen Bevölkerung, sondern alle Ugander, unabhängig von ihrer Religion. Er war erfolgreich und siedelte in einen größeren Laden in einem besseren Viertel an der Gladstone Street um. Dort gelang es ihm, reiche Weiße als Kunden zu gewinnen.

Es war immer noch ein junger Mann, als er den Bau einer Moschee mitfinanzierte, und sich damit den Zorn eines britischen Beamten zuzog, der selbst an der Immobilie interessiert war. Bs Vater siedelte nach England über, wo er wieder erfolgreich war und in Queensway ein Geschäft namens Beezue aufbaute. Sein Rennpferd »Thark« gewann 1997 das Derby. Mit über vierzig heiratete er noch eine Engländerin, Gloriana Harbottle, mit der er einen Sohn (B) und eine Tochter hatte.

Gloriana schrieb Kinderbücher und beeinflusste so die Berufswahl Bs. Sein Vater misshandelte ihn. Nahrungsentzug, Schläge, Einsperren in Wandschränken waren aufgeführt.

Abraham Ramson lachte verächtlich auf. »In der Schule nannte man ihn also nur den ›irren Hussein‹ … Hier heißt es, dass er sich vom Islam losgesagt hat, während er in einem dieser Schränke eingesperrt war.

Waren Sie schon mal eine Woche in einem Schrank eingesperrt, Algy? Das prägt einen, das kann ich Ihnen sagen.«

Gibbs seufzte. »Daran habe ich keinen Zweifel. Was gibt es sonst noch?«

Ramson wandte sich wieder dem Bildschirm zu.

»Als Teenager zog B zu Hause aus und lebte eine Weile mit einer Friseuse zusammen, einer Janet Stevens. Er ist aufgrund psychologischer Probleme psychotherapeutisch behandelt worden. Die Behandlung wurde von einer Organisation bezahlt, die es sich zur Aufgabe gemacht hat, Neueinwanderer zu unterstützen. Seine erste Geschichte, ›Vorabend des Abends‹, wurde in *Granta* veröffentlicht und von der Literaturkritik sehr wohlwollend aufgenommen. Er heiratete Doris McGinty, eine Irin mit literarischen Ambitionen. Man munkelt, dass sie Co-Autorin seines Romans *Der Rattenfänger von Hament* war. Der Roman zeigt kaum Bezüge zu Bs Herkunft.«

Als er diese Informationen gelesen und die Daten abgeglichen hatte, sah Ramson vom Bildschirm hoch.

»Tja, das ist eine britische Geschichte. Ihr Briten seid mit diesen Kerlen zu lasch umgegangen. Das ist doch klar, wenn man diese Scheißer einmal reinlässt, wenden sie sich gegen einen.«

Gibbs, der hinter ihm stand und rauchte, stimmte ihm zu. »Wir hätten nicht halb so liberal sein dürfen.«

Ramson sah von seinem Stuhl hoch und fixierte finster einen Punkt hinter Gibbs Schulter: »Ihr macht eine Menge Dinge nur halb, Algy. Eure Verhörmethoden sind absolut amateurhaft –

da ist bei euch seit dem Zweiten Weltkrieg überhaupt nichts passiert ...«

»Die Regierung ist, was uns angeht, verdammt knickrig ...«

»... ihr macht einfach nicht genug psychologischen Druck. Das beeindruckt die Verdächtigen doch gar nicht. Ihr solltest Euch über unsere Methoden informieren. Waterboarding, Schütteln ... Gerade Waterboarding liefert hervorragende Ergebnisse ... Andererseits habt Ihr hier auch keine vernünftig ausgebildeten Leute, Männer, die ihren Job verstehen und wissen, wie man diese Dinge einsetzt.«

Ramson erhob sich. Er hatte sein Mineralwasser nicht angerührt. »Jedenfalls, dieser Kerl hier, das ist nichts. Nur heiße Luft. Lasst ihn laufen. Schmeißt ihn raus. Sie vergeuden Ihre Zeit mit ihm, Algy.«

Aber Gibbs war mit den Gedanken ganz woanders. Er ließ den Stummel seiner Zigarette fallen und trat ihn auf dem Boden aus. »Wenn ich die Möglichkeit hätte, würde ich die alle mit einer A-Bombe wegputzen.«

Während sie zusammen zur Tür gingen, antwortete Ramson mit der ihm eigenen Verachtung in der Stimme. »Ja, viele von denen könnte man mit Atombomben wegputzen. Das Problem ist nur, dass Atombomben nicht besonders selektiv sind. Das ist keine WAA-Politik, klar? Bei einer Atombombe geht es ums Ganze, Algy.«

»Umso besser.«

Es war immer noch dunkel. Sein Kopf schmerzte noch. Er lauschte seinem eigenen Schluchzen und fragte sich, woher es stammte.

»Halt die Klappe, okay?« sagte eine der vier Wachen und schüttelte Fremants Schulter. »Was ist los mit dir? Du hast im Schlaf so laut geschrien, dass du mich aufgeweckt hast.« Sein Name war Tunderkin und er lag auf der Strohmatte neben Fremant. Er hatte ein breites, offenes Gesicht mit einer Narbe auf der rechten Wange. Langes, blondes Haar und große Muskeln. Er war noch sehr jung.

Fremant setzte sich benommen auf. »Ich hatte einen Alptraum.«

»Dann hab nächstes Mal einen leisen Alptraum.« Tunderkin legte sich wieder schlafen. Fremant blieb wach. Er fror bis ins Mark.

Er setzte sich auf und umklammerte die Knie. An seine Vergangenheit konnte er sich nicht erinnern, seine Zukunft war düster.

Den Führer, Astaroth, zu ermorden war nicht sonderlich schwierig. Sobald er aber mit dem Dolch zugestoßen hatte, würden sich zweifellos die anderen drei Wachen auf ihn stürzen. Deshalb fragte er sich, ob er die anderen Wachen überzeugen könnte, dass es eine gute Sache war, den Allmächtigen zu töten. Sie schätzten Astaroth vielleicht nicht sonderlich, aber er sorgte für ihren Lebensunterhalt. Zwei von ihnen, Imascalte und Cavertal, waren verheiratet und hatten Kinder, der junge Tunderkin noch nicht.

Er machte Andeutungen. Tunderkin ließ sich einmal zu der Bemerkung hinreißen, dass Astaroth seine Frau Aster schlecht behandelte. Die beiden Anderen runzelten nur die Stirn.

Die Tage vergingen und er unternahm nichts. Wenn Aster in seiner Nähe war, vermied sie es, ihn anzusehen. Als Fremant die Verhältnisse in der Zentrale besser kennenlernte, erkannte er, dass es genügend Anwärter auf die Führungsrolle gab, falls Astaroth sterben sollte: Vor allem zwei taten sich da hervor, Desnaith und Safelkty, die miteinander rivalisierten. Desnaith war leutselig und charmant, Safelkty ein düsterer und melancholischer Vertreter der Wissenschaft.

Fremant stellte sich eine Frage: Wäre die Bevölkerung nach Astaroths Tod unter einem dieser Männer besser dran? Und angenommen, beide würden ebenfalls getötet – dann würden andere kommen, die ebenso nach Macht gierten. Auch

Habander. Und so erschien ihm die Idee der Verstohlenen, ein Attentat zu verüben, als zu einfach.

Es barg immer Gefahren, wenn die Macht in den Händen eines einzelnen Mannes lag – gleichgültig welchen Mannes.

Während Fremant weiter seine Pflicht tat und über diesen Problemen grübelte, wurde ihm eine Botschaft zugesteckt. Darin stand nur: »Beseitige ihn innerhalb von zehn Tagen, oder wir beseitigen dich. V.«

Die Verstohlenen wurden ungeduldig. Er versuchte sich einzureden, dass sie ihm nichts anhaben konnten. Er war in Sicherheit, solange er in der Zentrale blieb.

Eines Tages breitete sich Aufregung in der Zentrale aus. Zuerst erschien Astaroth in einem nachtschwarzen Gewand, hinter sich eine Gruppe ebenso gekleideter Günstlinge. Eine Art Militärkapelle übte im Hof. Fische und ein Dutzend der hiesigen Dacoin wurden angeliefert; sie sollten über glühenden Kohlen gegrillt werden. Ein Empfang wurde vorbereitet. Die Wachen erhielten zusätzliche Aufgaben.

Spät am Nachmittag entdeckte man einen Trupp auf den hiesigen Pferden, die aus der Richtung des Hügellands kamen. Sie wurden mit Fanfaren begrüßt. Eine Menschenmenge strömte zusammen, darunter viele Frauen mit Kapuzen und Schleiern. Sie rannten den Reitern entgegen, die blassen Hände hoch erhoben.

Die Reiter führten einen Käfig auf Rädern mit sich. Sie hielten vor der Zentrale an, und Astaroth, flankiert von seinen Wachen, einschließlich Fremant, hieß sie offiziell willkommen.

Astaroth sprach. Die Menge wurde still. Er pries die zurückkehrende Expedition. Der Führer der Expedition, ein hochgewachsener, ehrfurchtgebietender Mann mit weißen Bartstoppeln namens Essanits verbeugte sich vor Astaroth. Nach einem wohlwollenden Nicken des Allmächtigen wandte er sich an die Menge.

»Wir sind glücklich, nach Stygia City zurückzukehren. Wir melden den Sieg. Unsere Aufgabe war blutig. Ich spreche für die meisten meiner Männer, wenn ich sage, dass wir sie schweren Herzens erfüllt haben – die Aufgabe, unsere Feinde zu vernichten, die Hundefroinder, oder Hundefreunde, wie wir sie früher nannten. Wir haben sie abgeschlachtet, wo und wann wir sie aufspüren konnten. Ich habe euch mitzuteilen, dass nicht ein Hundefroinder mehr frei auf Stygia herumläuft.«

Bei dieser Ankündigung erhob sich großer Jubel in der Menge.

Essanits fuhr mit einem Hauch Ironie in der Stimme fort: »Ihr könnt jetzt also ruhig in euren Betten schlafen. Für uns, zumindest für einige von uns, beginnt eine Zeit der Reue und Buße, denn Massenmord, auch der an fremden Lebensformen, ist niemals angenehm. Es widerstrebt dem gottgegebenen menschlichen Gewissen, dem Gebot, Leben zu bewahren. Wir haben zwar alle Hunde getötet, die wir finden konnten, aber ein paar Gefangene mitgebracht – fünf der Hundefroinder-Leute –, damit ihr sie euch ansehen könnt. Bromheed, hol die Gefangenen raus.«

Wie angewiesen öffnete der Krieger mit Namen Bromheed die Tür des fahrbaren Käfigs. Mit Hilfe eines Stocks trieb er die fünf Gefangenen aus dem Käfig auf den Platz. Sie bildeten eine verlorene Gruppe, keiner größer als ein zehnjähriges menschliches Kind. Sie hatten milchigweiße Gesichter und gleichermaßen farblose Behaarung. Fremant musterte sie neugierig. Arme kleine Kreaturen, dachte er. Ihre Körper waren von Kopf bis Fuß von einer Art pelzigem Material bedeckt. Ihre Füße waren nackt.

Sie standen regungslos, mit gesenkten Köpfen vor der Menge.

Die Zuschauer murmelten unbehaglich miteinander. Als ihnen klar wurde, wie hilflos diese kleinen Leute waren, die sie zu Feinden erklärt hatten, lachten sie. Ein verächtlichtes Lachen, das, dachte Fremant, nicht nur den Hundefroindern, sondern auch ihren eigenen Ängsten galt.

Dieser grausame Lärm erschreckte die Gefangenen. Sie wandten sich einander zu, bildeten einen engen Kreis, verschränkten die Arme über den Schultern und steckten die Köpfe zusammen.

Essanits stieß einen heiligen Fluch aus und rannte, um den Kreis zu sprengen. Aber zu spät. Die Gefangenen brachen langsam zusammen und lagen als ineinander verschlungene Masse zu Essanits Füßen.

Essanits ging auf die Knie und zog eines der kindartigen Wesen an sich. Sein Kopf baumelte kraftlos von den Schultern. Wie die anderen war es tot.

Er ließ den Leichnam sacht zu Boden gleiten, drehte sich um und sprach zu Astaroth und an die Menge gerichtet: »Wie traurig! Wir haben dieses merkwürdige Verhalten schon vorher beobachtet. Statt eine Schande zu ertragen, bringen sich diese kleinen Leute durch Willenskraft um. Es ist eine unheimliche, fremdartige Fähigkeit, die wir Menschen nicht besitzen.«

»Ich bedauere zutiefst meinen Anteil an dem hier … an allem …«

Tränen des Mitgefühls glitzerten in seinen Augen, während er dies sagte.

»Sei ein Mann, Essanits, verdammt noch mal!« herrschte der Allmächtige ihn an. »Aus welchem Grund auch immer, diese Schwächlinge haben Selbstmord begangen. Haben diese schwachen kleinen Kreaturen nicht den Tod verdient? Wir hätten sie sowieso getötet.« Er drehte sich auf dem Absatz um und marschierte mit seinen Wachen im Kielwasser zurück in die Zentrale. Die Menge war still geworden. Die Bedingungen auf Stygia hatten auch viele Menschen dazu getrieben, ihr Leben zu beenden.

Der Vorgang hinterließ bei vielen einen tiefen Eindruck, nicht zuletzt bei Fremant. Die Menschen auf dem Platz zerstreuten sich schweigend oder murmelten nervös miteinander.

Ein Mann der Wissenschaft mit Namen Tolsteem, einer der wenigen Forscher Astaroths, hielt Essanits in der Halle an.

»Entschuldigen Sie, Sir, aber Sie behaupten, dieser Tod durch Willenskraft sei unheimlich. Das ist nicht zwangsläufig der Fall. Im menschlichen Körper ist der konstante Herzschlag Teil unseres vegetativen Nervensystems. Ich vermute, dass im Fall der so genannten Hundefroinder die Herzen vom peripheren vegetativen Nervensystem gesteuert werden – wie bei uns die Atmung, die wir kontrollieren können, obwohl wir es in den meisten Fällen nicht tun …«

»Was soll der Unsinn?« wollte Essanits wissen. »Sie sind tot, oder?«

»Entschuldigung, aber Sie verstehen nicht, worauf ich hinaus will, Sir. Wenn der Herzschlag Teil des peripheren vegetativen Nervensystems ist, kann er gegebenenfalls kontrolliert – in diesem Fall unterdrückt – werden. Das ist nicht unheimlich, sondern eine einfache biologische Gegebenheit. Diese kleinen Hundefroinder sind das Ergebnis einer Evolution, die anders verlaufen ist als unsere.«

»Sie reden unseligen Unsinn«, sagte Essanits würdevoll. »Bitte gehen Sie mir aus dem Weg.«

Durch Willenskraft sterben … Der Gefangene lag ausgestreckt auf dem Boden eines Raumes, dessen Ausmaße er nicht kannte. Durch Willenskraft sterben. Er bemühte sich mit aller Kraft, starb aber nicht. Sein Herz wurde vom vegetativen Nervensystem gesteuert.

Ein Gefühl brennender Taubheit durchzog seinen ganzen Körper. Sein einziger Gedanke war, wie schön es wäre, wenn man, wie die Hundefroinder, durch reine Willenskraft Selbstmord begehen könnte. Ihre Herzen mussten, wie die menschliche Atmung, Teil des peripheren vegetativen Nervensystems sein. Tolsteem hatte das begriffen.

Eine Schüssel Suppe wurde durch die Klappe in der Tür geschoben. Der Mund des Gefangenen war ausgetrocknet. Er brauchte die Flüssigkeit, aber er konnte seine Glieder nicht in Bewegung setzen und sich auf dem Boden zu der Schüssel schleppen.

Er verlor immer wieder das Bewusstsein und bildete sich ein, dass er in den Intervallen dazwischen aus der Schüssel trank. Doch wenn er wach wurde, schmeckte er nur Staub auf der geschwollenen Zunge.

Er schwor sich, dass er in dieser anderen Welt nicht auf sich herumtrampeln lassen würde. Das schwor er sich und er schwor es erneut, als sie kamen und ihn für ein weiteres Verhör abholten.

Der Vernehmungsbeamte war diesmal ein kleiner Mann mit einem Frettchengesicht. Unter einer scharf geschnittenen Nase wuchsen die Borsten eines dünnen, ingwerfarbenen Schnurrbarts, wie eine Distel im Schatten eines Felsblocks wächst. Eine Brille mit Metallrand unterstützte seine schwachen grauen Augen.

Die erste Bemerkung der dünnen Stimme klang nicht ermutigend.

»Viele deiner elenden Freunde und Mitverschwörer sind uns ins Netz gegangen. Nur wenige sind noch am Leben. Was gibt dir das Recht, dich Engländer zu nennen?«

Der Gefangene sagte, in seinem Pass stehe »englisch« als Nationalität.

»Und die Nationalität deines Vaters?«

»Er wurde in Uganda geboren. Aber ich bin in England geboren, in Ealing.«

Der dünne Schnurrbart zuckte. »Dein Vater war ein Neger.«

»Nein.«

»Lügner! Die Ugander sind schwarz.«

»Wir stammten aus Hyderabad. Wir waren keine Ugander, keine Neger.«

»Was hast du gegen Schwarze?«

»... wir sind dorthin eingewandert.«

»Du bist immer noch ein elender Einwanderer. Du nutzt uns aus. Du versuchst, unsere Kultur zu unterwandern. Du lügst, du betrügst, du verübst Sprengstoffanschläge.«

»Niemals.« Eine der Wachen schlug ihm in den Bauch. Er brach zusammen und keuchte vor Schmerz.

»Du verübst Sprengstoffanschläge, Scheißkerl! Du bist ein dreckiger Moslem!«

»Bitte – bitte – lassen Sie mich erklären ...« Er keuchte und bekam kaum Luft. »Ich bewundere Ihre Kultur, Ihre Meinungsfreiheit, wie sie einmal war, und vor allem ...«

»Du mieser Lügner! Du hast ein Buch geschrieben, in dem du zur Ermordung des Premierministers aufrufst.« Erschöpft fragte er sich, was diesen kleinen Mann zu dem Arschloch gemacht hatte, das er war.

Er konnte kaum sprechen. Er keuchte, dass er nie zu so etwas aufgerufen habe. Beide Wachen schlugen auf ihn ein.

»Du hast ein Scheißbuch über die Ermordung des Premierministers geschrieben. Willst du das leugnen, Drecksack?« Speichel spritzte bei den Worten. Die Stimme wurde schriller.

»Ich leugne es. Bitte, bitte – das war nur ein alberner Satz, ein Witz ...«

Das Frettchengesicht schoss vor. »Du behauptest, die Ermordung des Premierministers ist ein Witz? Wir werden dir zeigen, was ein Witz ist!«

Wieder prasselten die Fäuste auf ihn nieder, auf sein Gesicht, auf verletzliche Stellen. Er stand am Rand einer dunklen Klippe. Und stürzte hinunter.

Die Matrix des Raums war eine heulende Wildnis von Elementarteilchen. Eine dahinrasende Ursuppe, ein prototemporaler

Sturm des tödlich Infinitesimalen. Licht durchdrang sie ohne Zeit oder Ausrichtung; in der Dunkelheit war Licht einfach nur. Hier hätte Gott gelebt – in einem kreativen Wahn, ausgebreitet wie ein Algenteppich auf einem Teich quer durch das Universum –, wenn es ihn gäbe.

Für die, deren Augen das gesamte elektromagnetische Spektrum erfassen konnten, würde hier Schönheit vorherrschen. Aber für die, die auf diesem großen Schiff reisten, weit entfernt von ihrem natürlichen Lebensraum, nur als molekulare Bestandteile im LWS, verkümmerte vieles, nicht nur der Wortschatz.

Das Traumselbst reiste durch dieses Chaos, beschädigt, voller Rachsucht, auf dem Weg zu diesem fremden Planeten.

Das interstellare Raumschiff war gelandet – eine Bruchlandung – und stand nun vor dem wachsenden Stygia City, ein Mahnmal dieser einzigartigen Reise. Weil die Atmosphäre hier mehr Sauerstoff enthielt als auf der Erde, rosteten viele Teile des Schiffes. Trotzdem wurde im Innern noch gearbeitet. Dies war der einzige Ort, an dem Werkstätten existierten und immer noch betrieben wurden.

Fremant und die anderen Wachen begleiteten Astaroth auf einer seiner unregelmäßigen Inspektionen zum Schiff. Bei diesen Gelegenheiten handelte Astaroth gegen seine asketischen, atheistischen Überzeugungen. Die Wissenschaftler, die hier arbeiteten, erfuhren eine bevorzugte Behandlung; er brachte ihnen eine Wagenladung Gemüse: Rydabien, Happgurken, Jameten und Pfeffergerste, dazu Früchte wie Busken und Muschelwurz. Außerdem Fleisch, vor allem Dacoin, Ackerratte und Ochstier.

Die Wissenschaftler beschäftigten sich mit der Operation Cereb, der Entwicklung eines Gedankenauswerters. Die Urform dieses komplexen Lesegerätes hatten sie schon während der Reise des Schiffes entwickelt, um zu verstehen, was genau im

Verstand derjenigen schiefgegangen war, die dem Wahnsinn verfielen. Nur hier, im Innern des alten Schiffes, der *New Worlds,* waren Computer erlaubt.

Das Projekt machte offenbar gute Fortschritte, obwohl es dem großen Astaroth nie schnell genug ging. Die Wissenschaftler zeigten ihm unterwürfig das Arbeitsmodell, das sie für diese Gelegenheit gebaut hatten.

Der Inspektion folgte ein Festmahl für die Forscher an dem Gedankenauswerter, für ihre Familien und alle, die für sie arbeiteten. Die Stimmung war ausgelassen. Astaroth und die übrigen Waabiten standen abseits und blickten hochmütig und mit kaum verhohlener Verachtung auf die menschlichen Schwächen und die Vergnügungen des Fleisches herab.

Ein Mann mittleren Alters, eine Reinigungskraft, trat mit einem Teller goldbrauner Busken auf sie zu und bot sie freundlich lächelnd dem Führer an.

»Geh weg«, sagte Astaroth. »Gib es den Bauern. Ich esse nicht.«

Wettkämpfe fanden statt. Ein Höhepunkt war der so genannte Kontest. Auf einem kleinen, rechteckigen Kampffeld türmten sich zwei Kieselhaufen, die Kiesel nicht größer als fünf Zentimeter im Durchmesser. Die Steine des einen Haufen waren rot gefärbt, die des anderen blau. Dies waren die Waffen der beiden Wettkämpfer.

Beide Kämpfer waren schwarz. Sie hießen Chankey und Gragge. Sie kämpften nackt bis zum Tod. Jeder von ihnen durfte nur die Steine der ihm zugewiesenen Farbe verwenden, entweder rot oder blau. Sie durften mit den Steinen werfen oder sich damit schlagen. Das war Kontest.

Und Fremant war Schiedsrichter. Seine Hauptaufgabe bestand darin, darauf zu achten, dass Chankey und Gragge innerhalb des Feldes blieben, und am Ende zu verkünden, wer von den beiden Kämpfern tot war.

Klatsch! machten die Steine auf Fleisch. *Klatsch! Klatsch!* Die

Zuschauer jubelten über jeden Stein, der sein Ziel fand. Gragge ging in die Knie, als ein Stein sein Schienbein traf. Ehe er sich wieder aufrichten konnte, erwischte ein weiterer roter Stein ihn an der Schulter. Er erholte sich rasch. Er schleuderte einen blauen Stein, verfehlte, dann einen zweiten, der Chankey in die Rippen traf. *Wumm!* Binnen kürzester Zeit konnten die schwer verletzten Kämpfer nur noch kriechen. Sie fauchten wie wilde Tiere und stürzten sich aufeinander. Beide versuchten, den Gegner zu erwürgen oder ihm die Kehle aufzureißen. Es gelang Chankey, Gragges Oberkörper auf einen der Steine zu schmettern. Er packte einen roten Stein und schlug seinem Gegner den Schädel ein. *Knirsch! Knacks!*

Die Zuschauer jubelten und johlten.

Gragge lag tot und zerschmettert am Boden, sein Gehirn sikkerte in die Erde. Fremant schwenkte seine Flagge.

Er half Chankey auf die Füße. Chankey blutete aus zahlreichen Wunden. Er brach bewusstlos zusammen. Einen oder zwei Tage später hörte Fremant zufällig, dass Chankey nicht an seinen Wunden gestorben war, sondern sich langsam erholte.

Als Fremant die Arena verließ, klopfte ihm Astaroth auf die Schulter. »Du hast dich gut gehalten, Kerl! Ich behalte dich im Auge!«

Großes Lob, dachte Fremant. Oder war es eine Drohung? Er verabscheute Astaroth, weil der zu brutalen Unterhaltungsspielen wie dem Kontest ermunterte.

Als Astaroth in seinem Streitwagen davonfuhr, kam Aster zu Fremant. Sie schlug ihre Kapuze zurück und sah unter niedergeschlagenen Wimpern zu ihm auf. »Ich habe beschlossen, dir zu vergeben, du Bestie.«

»Ach, und warum?« fragte er kalt.

»Weil ich dich liebe.« Sie ließ ihre Kapuze los und zeigte ihm mit einer Handbewegung, wie sehr ihre Liebe einer lodernden Flamme glich. »Brennende, verzehrende Liebe!«

Er kämpfte mit seinen Gefühlen. Die Stadt Stygia war voller Argwohn und Geheimnisse, und er fragte sich, ob diese Frau nicht vielleicht diejenige war, die ihm den Dolch der Verstohlenen ins Herz stoßen sollte.

»Ich geb dir einen Wein aus, Aster. Dabei können wir reden.«

Sie lief neben ihm her. Unterwegs dachte er daran, dass man sie sehen würde, wohin sie auch gingen. Astaroth würde davon erfahren. Es war besser, Aster zu Bellamias Haus mitzunehmen: Das alte Mädchen würde nichts dagegen haben und er glaubte sich darauf verlassen zu können, dass sie den Mund hielt.

Es dämmerte, als er an Bellamias Tür klopfte. Er hatte das Gefühl, sich rechtfertigen zu müssen, wusste aber nicht, wofür. Die beleibte Frau öffnete vorsichtig, dann trat sie zurück und ließ ihn und Aster ein.

»Das ist Aster, Bellamia«, stellte er vor, als das Mädchen die Kapuze zurückschlug.

»Ich weiß, wer sie ist«, sagte die Frau und blickte Aster finster an. Er roch Salack in ihrem Atem. Sie zog es in einem Blumenkasten neben der Tür und kaute die getrockneten Pflanzen.

Sie setzten sich an den Tisch, Bellamia goss ihnen Buskade ein. Der Insektenpapagei zirpte seinen Gesang, eine Art verwaschene Melodie, die sofort wieder verklang. Die Dunkelheit breitete sich bereits in dem kleinen, engen Raum aus. Fremant und Aster konnten über den Tisch hinweg kaum ihre Gesichter erkennen, bis Bellamia eine brennende Kerze brachte, die sie zwischen ihnen auf die Platte stellte.

Aster streckte Fremant die Hand entgegen. Er ergriff sie und klagte: »Dieser hinterwäldlerische Planet! Hier gibt es keine Kunst, kein Kino, keine CDs, keine PCs. Nicht mal Bilder, die man an die Wand hängen kann.«

Aster nahm die Welt in Schutz: »Es gibt doch diese hübschen blauen und roten Steine beim Kontest ...«

»Das ist aber nicht gerade Picasso oder Rembrandt, was?«

»Wer ist das?« fragte Bellamia.

Konnte es sein, dass er als einziger Mensch auf dieser Welt den Namen Rembrandt kannte? Natürlich waren diese Menschen ungezählte Jahre nichts anderes als chemische Elemente im LWS des Raumschiffs gewesen. Er gehörte nicht zu ihnen. Er hatte keine Erklärung dafür, wie er hierher gelangt war. Er war nicht auf Stygia geboren. Er zappelte in einem Sumpf der Unsicherheit, der Ungewissheit.

»Aber wir brauchen solche Dinge nicht«, sagte Aster und ignorierte Bellamia. »Das Leben ist besser ohne sie. Einfacher. Kunstformen deuten viel zu viele Dinge an, oder etwa nicht? Wenigstens leben wir auf festem Grund mit einem Himmel über uns. Ist das nicht genug?«

»Nein, das ist nicht genug. Wir haben den Himmel über uns nicht geschaffen, oder?«

»Aber ich dachte, die Kunst wäre Schuld an – ach, ich weiß nicht, was. Dass die Leute – wie heißt das? Du weißt schon, an Kreuze genagelt werden und so.«

»Und Musik«, sagte Bellamia mit einem Lachen. Der Geruch ihres Salacks lag schwer in der Luft. »Gab es Musik auf der Erde? Es muss Absicht sein, dass wir uns an so wenig von diesem Ort erinnern können.« Sie drehte sich um und hantierte an ihrem kleinen Herd.

»Kunst im Allgemeinen war einst ein wichtiges Anliegen der Menschen«, sagte er und funkelte Aster im Schein der Kerze wütend an. »Gemälde, Skulpturen, Bücher, Musik ... damals auf der Erde.«

»Erde«, sagte sie abfällig. »Das ist lange vorbei. Astaroth sagt, wir wurden alle aus Sicherheitsgründen weggeschickt. Du hast zu viel Erdenblut in dir. Hast du vergessen, wie man dich da gefoltert hat?«

»Ach, das«, rief er fassungslos. Ihm war entfallen, dass er Aster in die Folterungen eingeweiht hatte. Ein Schatten legte sich auf seine Seele.

»Ja, das! Willst du behaupten, dass du vergessen hast, wie du dort gefoltert worden bist? Ach, du bist so ein Lügner. Ich bin umgeben – auf allen Seiten umgeben – von Täuschungen und Lügen. Wie soll ich das ertragen? Ich weiß nicht …«

Er schüttelte den Kopf: »Reg dich ab, ja? Die Alpträume, die ich hatte …«

»Du hast Alpträume! Was glaubst du, was ich habe? Du schleppst mich hier in diese üble Absteige …«

»Was ist los mit dir? Bist du verrückt geworden?«

Sie schlug mit der flachen Hand auf den Tisch. »Du hattest den Verstand verloren! Gib es zu!«

Er stand auf. »Wenn du anfängst, mich zu beleidigen, kannst du dich verziehen – verschwinde aus meinem Leben! Du hast mich zu den Verstohlenen gelockt, und das vergesse ich dir nicht.«

Mit einer blitzschnellen Bewegung zückte Aster ein Messer. Zähnfletschend richtete sie es auf ihn. »Was ist beleidigend daran, wenn man in einer irren Welt den Verstand verliert? Wenn du mich noch einmal anfasst, bring ich dich um, das schwöre ich.«

Er setzte sich und versuchte, sie mit Blicken zu bändigen.

»Du würdest es nicht wagen.«

»Du hast mich einmal vergewaltigt, und das ist mehr als genug, du Dammaratter.«

»Du hast gut reden – mir hat es auf jeden Fall gereicht, das kannst du mir glauben.« Er griff nach der Tischkante, bereit, den Tisch umzustoßen, wenn sie eine falsche Bewegung machte.

»Oh, ich würde dich nur zu gern umbringen! Was ist mit deinem Versprechen, Astaroth zu töten? Oder hast du das auch schon vergessen?«

»Ich habe es nicht vergessen«, sagte er düster.

»Du hast aber nichts unternommen.«

Bellamia trat mit einer Pfanne in der Hand zu ihnen an den Tisch. Sie schnalzte missbilligend mit der Zunge. »Jetzt hört aber mit diesen Albernheiten auf. Liebt euch, verdammt noch mal, wenn es sein muss! Warum streiten? Hier ist leckerer Eintopf aus Ochstierschwanz für euch, also gebt Ruhe. Regt euch ab!«

»Sei du doch ruhig«, fuhr Aster sie verärgert an. »Du vergisst dich. Ich bin die Geliebte des Allmächtigen, also benimm dich.«

Mit gesenktem Blick sagte Bellamia: »Ich weiß sehr gut, wer du bist. Und was du bist.«

Die Bemerkung schien die jüngere Frau in die Schranken zu weisen. Sie legte das Messer weg. Fremant setzte sich. Verwirrt und voller Hass sahen sie einander an. Dann senkte Aster den Blick auf die Maserung der Tischplatte.

»Hier stinkt es«, sagte sie leise. »Warum hast du mich hergebracht?«

Allmählich besserte sich die Stimmung und sie benahmen sich widerwillig erneut wie Freunde, als gäbe es trotz allem doch eine Beziehung zwischen ihnen. Als die ältere Frau das Essen servierte, setzte sie sich ebenfalls an den Tisch und aß zusammen mit ihnen. Aster widersprach nicht. Und sie beschwerte sich auch nicht über das stark mit Salack gewürzte Essen. Dem Kraut, bitter und süß zugleich, dem man nachsagte, dass es die Nerven beruhigte.

»Was hast du in den Jahren nach deiner Rekonstitution auf dem Schiff getan?« fragte sie Bellamia.

»Herrin, als ich aus dem LWS rekonstituiert wurde, übertrug man mir die Verantwortung für eine der Schichten in der Wäscherei. Harte Arbeit. Natürlich war ich damals jünger.« Ihre Augen waren halb geschlossen und versanken fast im umgebenden Fleisch. »Viel jünger.«

»Hattest du keinen Mann?«

»Er ist lange tot«, sagte Bellamia in einem Ton, der weitere Fragen verbot. Sie wiederholte: »Lange tot ...«

Als Aster ging, küssten sie und Fremant sich kurz vor der Tür.

Er holte ein paar Mal tief Luft, bevor er in den stickigen Raum zurückging.

Bellamia sagte zu Fremant: »Vielleicht sollte ich's dir nicht sagen, aber die junge Dame ist die Geliebte Astaroths, wie sie behauptet. Womit sie aber nicht prahlt, ist, dass sie seine Tochter ist.«

»Das darf doch nicht wahr sein!« Er war entsetzt.

Verächtlich antwortete die alte Frau: »Was soll das heißen: ›Das darf nicht wahr sein?‹ Du bist weich im Hirn, Mann. Viele Dinge, die nicht sein sollten, sind es trotzdem. Und eins von diesen Dingen habe ich dir gerade erzählt – eins dieser Dinge.«

Dämmerung, zwei Tage später. Hoch oben am südlichen Himmel zogen Stygias sechs kleine auseinandergebrochene Monde ihre Bahnen und warfen blasse Schatten. Sie waren das Ergebnis der kosmischen Kollision, die auch für den Schleier verantwortlich war.

Fremant befand sich auf dem Weg zur Zentrale, um sich zum Dienst zu melden. Beim Gang über die hallenden, menschenleeren Plätze hatte er das Gefühl, verfolgt zu werden.

Er bog um die nächste Ecke, blieb mit gegen eine Hauswand gepresstem Rücken stehen und wartete. Und wirklich, einen Augenblick später lief ein Mann um die Ecke, ein großer, schlanker, hinkender Mann. Fremant schlug ihm hart mit der rechten Faust gegen den Schädel. Dem Mann klappte die Kinnlade herunter. Er ging in die Knie und wurde bewusstlos.

Fremant zerrte den Mann in eine dunkle Gasse und setzte sich auf seinen Bauch.

»Okay, du Wichser, für wen arbeitest du?«

Der Mann stammelte etwas Unverständliches.

»Sprich deutlich, oder ich quetsche dir die Augen aus. Wer bist du?«

»Mein Name ist Webshider. Lass mich los, verdammt!«

»Wer bezahlt dich, damit du mir folgst?« Während er die Fragen stellte, durchsuchte er Webshiders Taschen. Er fand einige Stigs und steckte sie ein. Aus einer Innentasche zog er ein Messer mit Beingriff und gekrümmter Klinge. Er warf es weit weg, die Straße hinunter.

»Komm schon, wer bezahlt dich?«

»Niemand. Das war meine eigene Entscheidung. Lassen Sie mich los. Bitte.«

»Du wolltest mich umbringen, du Schuft! Zum letzten Mal, für wen arbeitest du?« Er packte den Mann am Hals und knallte seinen Kopf gegen das Pflaster.

»Die Verstohlenen? Die Verstohlenen, habe ich recht?«

Fremant boxte ihn in die Rippen. »Diese nutzlosen Penner? Pass auf, wenn ich jetzt dein Leben verschone, dann schleichst du dich wieder zu denen und zu ihrem namenlosen Gott zurück. Bestell ihnen von mir, dass sie erbärmlich sind. Sag ihnen, sie sollen sich unter das normale Volk mischen und so Unruhe schüren, kapiert? Und sich nicht einfach nur auf der anderen Seite des Sees verstecken, kapiert? Unruhe schüren, den Leuten klarmachen, dass sie zusammen Stärke zeigen können, kapiert? Eine große Demonstration und wir können Astaroth davonjagen, kapiert?«

Jedes »kapiert« wurde von einem Tritt in Webshiders Rippen begleitet.

»Das wirst du nie schaffen, du Grobian«, keuchte der Mann.

»Versucht es!«

»Das schaffst du nie, weil die Leute hier … ich weiß nicht, irgendwie sind die krank nach der langen Reise und der Rekonstitution.«

Er zerrte den mageren Mann in eine sitzende Stellung und drückte ihn mit dem Rücken gegen die Hauswand. »Soll das heißen, dass mit dem Lebens-Wiederaufbereitungs-Speicher was nicht stimmte?«

»Woher soll ich das wissen?« gab der andere zurück. »Ist doch möglich, oder? Vielleicht bekommt uns dieser Planet auch einfach nicht. Vielleicht ist eine Art Bazillus in der Luft, der …«

»Du Schwein! Du bist krank.« Er versetzte dem zitternden Gesicht eine weitere Ohrfeige.

»Wir sind alle krank, du Dammaratter – weil wir hier ausgesetzt worden sind, um unter Fremden und Insekten zu leben.«

Die Bemerkung hallte in Fremants Gedanken. »Das ist das Gesetz des Lebens – wir alle müssen unter Fremden leben … Scher dich zu deinem Habander zurück und erzähl ihm, was ich gesagt habe, verstanden?«

Er stand auf und sah wachsam zu, wie Webshider sich unter lautem Keuchen und Stöhnen aufrichtete. Das war kein Kämpfer. Fremant gab ihm einen Tritt in den Hintern, er trollte sich.

Dann hastete er in Richtung Zentrale davon, um nicht zu spät zum Dienst zu erscheinen.

3

Breeth, das Stallmädchen mit den rosigen Wangen, bereitete Fremant und Tunderkin über einem kleinen Feuer in der Sattelkammer Schüsseln voll süßem Herfer zu. Danach gingen sie hinaus, um den Pferden unter dem fahlen Himmel Bewegung zu verschaffen und sie zu striegeln. Hoch über ihren Köpfen zog einer der sechs Monde seine Bahn.

»Wie nennt ihr diesen Mond?« fragte Fremant. Nach der Schlägerei auf dem Hinweg hatte er immer noch schlechte Laune und seine Knöchel taten ihm weh.

»Na, das ist doch Bruder«, sagte Breeth mit einem Lächeln. »Warum weißt du das nicht?«

»Kennst du die Namen aller Monde?«

»Sicher, wie jeder andere auch, weil sie alle denselben Namen haben.« Sie lachte. »Sie heißen alle Bruder, oder?«

»Aber sie sind doch verschieden.«

»Nein, du Dummkopf, das sind alles Monde.«

Tunderkin zog Hengriss aus dem Stall und ließ den Gaul auf den Hof pissen. »Auf den hier müssen wir besonders gut aufpassen. Das ist Essanits Reittier.«

»Was macht das für einen Unterschied?« fragte Fremant.

»Meine alte Großmutter konnte immer sagen, was für einen Charakter die Menschen hatten, denen sie begegnete. Du Fremant, stellst immerfort Fragen, du wärst der ewige Fremde.«

Er dachte, das sei gut beobachtet. Er war immer ein Fremder, sogar für sich selbst.

»Und wie würde deine Großmutter Astaroth einstufen?«

»Als wilden Hengst …«

Sie begannen die Pferde zu striegeln. Die Tiere standen da, atmeten mit bebenden Nüstern und wussten nicht, dass ihr

Leben verrann, nicht einmal, dass sie im eigentlichen Sinne des Wortes überhaupt lebten.

»Du stellst zu viele Fragen. Du wirst noch Schwierigkeiten bekommen.« Tunderkin beugte den Kopf unter der Flanke von Hengriss hindurch und sagte leise: »Meine alte Großmutter konnte den Menschen in die Köpfe sehen. Sie sagte immer, die Gequälten quälen selbst. Jetzt halt den Mund und lass uns diese Tiere für den Morgenappell satteln.«

Der Tag war noch kalt und der dampfende Atem der Pferde stand in der Luft, während sie die geduldigen Reittiere aufzäumten.

Die Tage zogen dahin, und wieder bedeckte der Schleier den Himmel, verdunkelte Stygia City und brachte Kälte über die Welt. Astaroth zog sich in sein Privatquartier zurück und nahm Aster mit. Der sogenannte Weltrat, offiziell unter Aufsicht der WAA, vertrat ihn. In Abwesenheit ihres Führers unternahmen sie nichts. Nur Essanits war bereit, Entscheidungen zu treffen ...

Obwohl der Schleier regelmäßig alle zehn Tage über Stygia City erschien und dabei seiner eigenen, langsam dahinziehenden Gesetzmäßigkeit folgte, war die Bevölkerung von Stygia so in ihrer Trägheit gefangen, dass keine Vorbereitungen für sein Erscheinen getroffen wurden. Jedes Mal, wenn der Schleier sich über die Stadt legte, starben einige Menschen.

Essanits richtete einen Laden ein, in dem eine notdürftige Essensration von denen in Anspruch genommen werden konnte, die darauf angewiesen waren. Wer sich sein Essen auf diese Art verschaffte, musste den Zeigefinger in rote Farbe tauchen, um nicht ein zweites Mal Essen verlangen zu können. Diese Voraussicht von Essanits rettete vielen Unterernährten das Leben.

Am zweiten Tag nach seinem Erscheinen versank der Schleier wieder hinter dem westlichen Horizont. Das normale Leben ging weiter. Einen Tag später stapfte Astaroth tobend mit wehenden Gewändern aus seinen Privatgemächern. Die Essensausgabe wurde bei Astaroths Ankunft gerade wieder abgebaut. Fremant und Cavertal, ein weiterer Leibwächter, begleiteten ihn. Astaroth wütete wegen der Verschwendung. Trotzdem ließ er kein Wort des Tadels an Essanits verlauten, so groß war die Ausnahmestellung, die der jüngere Mann offenbar hatte.

Stattdessen galt Astaroths Wut einem der Bediensteten, die die Ausgabe ausgeführt hatten.

»Warum verschenkt ihr Essen? Die Menschen müssen sich ihren Lebensunterhalt, ihr Brot verdienen. Das ist ein grundlegendes Gesetz des Lebens.«

»Ohne etwas zu essen wären sie vielleicht gestorben, Sir, und dann nützt ihnen kein Gesetz.« Der Mann hielt den Kopf gesenkt, aus Angst vor jedem Anschein, seinem Führer zu widersprechen.

»Dann hätten sie sterben sollen. Wer stirbt, ist zu dumm, sich einen Nahrungsvorrat anzulegen.«

Essanits stand, die Arme in die Seiten gestemmt, daneben und warf begütigend ein: »Einige sind so arm, dass sie es sich nicht leisten können, Vorräte anzulegen, Sir. Sie leben von der Hand in den Mund, wenn ich daran erinnern darf.«

»Sie dürfen, Soldat Essanits«, antwortete Astaroth und unterdrückte seinen Ärger, »und ich muss Sie daran erinnern, dass solche Menschen für die Gemeinschaft nicht von Nutzen sind. Die Tage einer egalitären Gesellschaft, wie wir sie auf dem Schiff in den letzten Jahren der Reise nach dem LWS hatten, sind lange vorbei. Hier müssen wir ums Überleben kämpfen.«

Fremant konnte sich eine Antwort nicht verkneifen. »Dann haben alle, die vor dem Hungertod gerettet worden sind, jetzt die Möglichkeit, um ihr Überleben zu kämpfen. Unsere Gemeinschaft ist zu klein, um nicht auch den geringsten Menschen auf Stygia wert zu achten.«

Astaroth drehte sich um und musterte seinen Leibwächter. »Wir brauchen echte Männer, keine Schwächlinge oder unverschämten Kerle wie dich. Wache ...«, er deutete auf Cavertal, »... verhafte den Mann. Nimm ihm sofort die Waffen ab. Drei Tage Zelle.«

»Das ist ungerecht! Ich wollte doch nur darauf hinweisen ...«

»Still! Du hast kein Recht, überhaupt etwas zu sagen!«

Essanits sprach. »Er hat nichts Böses getan, Sir. Was er sagte, ist wahr. Wir sind zu wenige Menschen hier. Wollen Sie einen Mann verhaften, nur weil er die Wahrheit sagt?« Er stand da, aufrecht, beeindruckend, ernst, bereit, sich mit dem Allmächtigen anzulegen.

»Eine Wache hat in meiner Gegenwart den Mund zu halten.« Astaroth warf sich in die Brust, als sei er selbst eine Wache. Dann blickte er zur Seite und machte eine wegwerfende Kopfbewegung.

Cavertal tat zögernd, wie ihm geheißen. Mit Lederschlaufen fesselte er Fremant die Hände hinter dem Rücken und führte ihn ab.

Unter der Zentrale lagen Kellerräume und Gefängniszellen. Unvermittelt fand sich Fremant in einer dieser Zellen wieder.

»Tut mir leid, Kumpel«, sagte Cavertal mit gesenkter Stimme. »Aber du hast es darauf angelegt, wie du ihm gekommen bist.« Er schlug die Tür hinter seinem Freund zu.

Astaroth begab sich derweil, immer noch verärgert, dass man ihm widersprochen hatte, in sein Quartier. Aster hatte sich unter dem Vorwand in ihr Zimmer zurückgezogen, sie fühle sich nicht wohl. Astaroth schäumte, unternahm aber nichts. Stattdessen legte er die Füße samt Stiefeln auf einen Stuhl und ließ seine alte Frau Ameethera kommen, damit sie ihm Gesellschaft leistete.

»Es ist seltsam«, sagte sie, »aber ich bekomme immer diese Kopfschmerzen. Ich gehe jeden Tag spazieren, natürlich nicht an den Tagen, an denen der Schleier über uns hinwegzieht, aber sonst jeden Tag, und trotzdem habe ich immer diese Kopfschmerzen.«

Mit sanfter Stimme, aber in seinem üblichen, abschätzigen Tonfall, tadelte er sie für ihr ständiges Jammern.

Wachsbleich fragte sie mit leiser Stimme: »Willst du wissen, wo ich spazieren gehe?«

»Warum sollte es mich kümmern, wo du herumläufst?« Er musterte verächtlich ihre runzlige Gestalt, ihre alte, zerschlissene Kleidung, in der sie wie eine Gefangene wirkte.

»Ich gehe zu den Klippen, bleibe dort stehen und blicke aufs Meer hinaus. Es ruht nie. Die Wellen hören nie auf. Und was glaubst du, woran ich dann denke?«

»Woher soll ich wissen, woran du denkst, Frau?«

»Ich stelle mir vor, wie ich mich von den Klippen ins Meer stürze, daran denke ich.«

Sie stieß einen Ton aus, der ein Lachen sein konnte, und blinzelte kurzsichtig ihren Mann an, um seine Reaktion abzuschätzen.

»Geh weg«, sagte er. »Geh mir aus den Augen!«

Sie schien in sich zusammenzusacken. Sie streckte flehend die Hand nach ihm aus. »Erinnerst du dich noch manchmal an die alten Zeiten, Astaroth, als ich gerade rekonstituiert und jung und schön war, und du mich geliebt hast?«

»Diese Tage sind vorbei«, sagte er und blickte finster zu Boden. »Es gibt keine persönlichen Bindungen mehr …«

Wenig später, als ihr danach war, erschien Aster. »Mutter Ameethera ist nicht glücklich«, sagte sie.

»Was hast du erwartet?« Er befahl Aster, ihm ein Glas Buskade zu bringen.

»Dieses junge Großmaul, Fremant – ich kann seine Stimme nicht mehr hören, sein Gesicht nicht mehr sehen. Er verfault jetzt in der Zelle. Ich werde mir den kleinen Mistkerl vom Hals schaffen.«

»Fremant?« Sie schreckte auf, als sie den Namen hörte.

»Wieso? Er ist doch ein guter Leibwächter, oder? Er ist pünktlich, loyal ...«

»Was weißt du davon?«

»Ich mag ihn einfach, das ist alles.« Sie wirkte nervös. Sie rang pausenlos die Hände.

Er umklammerte die Armlehnen seines Stuhls. Sein Gesicht wurde rot, die Augen traten aus den Höhlen. »Ich erhielt einen Bericht ... wie dumm von mir, ihn zu ignorieren. Man hat dich mit einem jungen Kerl gesehen. Das war doch sicher Fremant. Du wagst es, dich von mir wegzustehlen und in seine Arme zu laufen?«

»Nein, nein, Papa! Er war es nicht! Ganz ehrlich ...«

Astaroth fuhr auf und packte ihr Handgelenk. Er zerrte sie zu seinem Stuhl und zwang sie, demütig vor ihm zu knien.

»Wohlan ... du hast es mit diesem kleinen Mistkerl getrieben, nicht wahr? Ich habe es an dir gerochen!«

»Oh, nein, bitte ...«

Er versetzte ihr eine Ohrfeige. »Du hast es getan, nicht wahr, du kleine Hure? Gib es zu, oder ich erwürge dich gleich hier und jetzt!«

Sie kreischte. Er schlug sie erneut. Ihre Lippe blutete. Der Schmerz trieb ihr die Tränen in die Augen.

»Oh, nein, nein, bitte, Papa, bitte nicht! Das tut so weh!«

Astaroth schob sein zornrotes Geicht ganz dicht an sie heran. »Ich werde dir noch viel stärker wehtun, wenn du mir nicht die Wahrheit sagst. Du hast es mit ihm getrieben, nicht wahr?« Er ergriff ihre Kehle und drückte zu.

Aster schrie hilflos auf. Sie öffnete den Mund, rang nach Luft.

»Er hat mich vergewaltigt ... so wie du!« Sie keuchte. »Lass mich los, du Scheusal!«

Er gab sie frei. Sie brach auf dem Boden zusammen. Sie weinte, vor Schmerzen und wegen ihres Geständnisses. Sie wusste, was folgen würde.

Fremant lag halbtot geschlagen auf dem Boden seiner Zelle. Der Führer war mit einer Keule bewaffnet in seine Zelle gestürmt und hatte ihn verprügelt. Er fühlte sich, als sei jeder Knochen in seinem Körper gebrochen.

»Du bleibst hier, bis ich dich umgebracht habe«, versprach ihm Astaroth außer Atem. »Ich komme morgen zurück und mache weiter.«

Dann sollte es wohl so sein. Er würde sterben. Aber er hatte noch einen Tag zu leben, zu atmen, sich auf den kalten Steinen auszustrecken.

Astaroth glaubte, wie viele weniger bedeutende Männer, an Rache.

Fremant hatte gehört, dass es irgendwo eine Religion gab, die nicht an Rache, sondern an das Gegenteil, an Vergebung, glaubte.

Vergebung … schon das Wort klang sanft, während Rache sich anhörte wie ein Schwert, das über kalten Stein schleift. Und doch war Vergebung so viel schwerer zu gewähren.

Wie hieß das noch mal? Er konnte kaum denken, aber allmählich fiel es ihm wieder ein. Ja, »die andere Wange hinhalten …« Das war das Ziel einer großen Religion gewesen, einer vergangenen Religion.

In wie vielen Ländern, bei wie vielen Stämmen war Blutrache ein steter Anlass zu Leid, weil es als ehrenvoll galt, niemals zu vergeben …

Aber all das bedeutete jetzt nichts mehr, da der Morgen das Ende aller Dinge, aller Hoffnung, aller Fehler brachte …

»Ich werde sterben«, flüsterte er. »Ich werde sterben. Ganz sicher werde ich sterben.« Er sah über sich ein Raster aus Eisenstäben, durch die ein wenig Licht hereinfiel.

Dunkelheit umgab ihn, der Anblick des Lichts war verschwunden.

»Du wirst nicht sterben, bevor du nicht alle unsere Fragen

beantwortet hast«, ertönte eine andere Stimme. »Doris war deine Frau. Wo habt ihr geheiratet? In einer verdammten Moschee?«

»Auf dem Standesamt in Harrow … Ich werde ganz sicher sterben …«

»Sag uns ihren Namen.«

»Das habe ich schon mehr als einmal. Doris.«

»Doris wer, Dreckskerl?«

»Doris McRooney.« Er hatte das Gefühl, er würde vor Müdigkeit zusammenbrechen. Sie hielten ihn seit fünfzig Stunden ununterbrochen wach.

»Sie war eine Weiße.«

»Sie war Irin.«

»Sie war eine Weiße, du Dreckskerl.«

»Ja.«

»Wie ist es dir gelungen, eine weiße Frau zu heiraten?«

»Ach, verdammt noch mal. Ich dachte, das ist ein freies Land.«

»Das war es auch, bis ihr Scheißkerle mit euren Sprengstoffanschlägen, Drohungen und Selbstmordattentaten angefangen habt.«

»Das hatte nichts mit mir zu tun. Ich war ein rechtschaffener Bürger.«

»Aber du hast ein Attentat geplant. Warst ein Verbündeter dieses Saukerls Al-Muhajiroun. Hast in deinem Scheißbuch darüber geschrieben, den Premierminister in die Luft zu sprengen.«

»Das war nur ein … wirklich nur ein Witz … Vielleicht etwas unpassend …«

Der Wachtposten schlug ihm mit einem Schlagstock in den Nacken. Er hörte die Knochen knacken.

Tiefe graue Dunkelheit umfing ihn.

Essanits besuchte ihn in seiner Zelle.

»Ich finde dich in schlimmer Verfassung, Fremant«, sagte er. »Ich darf mich in diesen Kellern aufhalten, weil unser Führer mich als Held betrachtet. Weil ich …« Hier versagte ihm die Stimme. »Weil ich die Hundefroinder ausgerottet habe.«

Fremant gelang nicht mehr als ein Flüstern. »Er wird mich morgen umbringen. Das weiß ich.«

»Astaroths Willkürherrschaft muss ein Ende haben, und mit ihr sein hassenswerter Glaube. Du hast den richtigen Geist. Ich kann dich nicht sterben lassen. Das widerspricht meiner –«

Er sprach ein Wort, das Fremant nur annähernd verstand: »Religion.«

Essanits trug ein Tuch um den Hals. Er löste es und trat zu dem Eisengitter. Er stellte sich auf Zehenspitzen und knotete das Tuch an eine der Stangen.

»Wenn es dunkel ist, komme ich von außen zur Zentrale. Das Tuch weist den Weg zu deiner Zelle. Ich werde dir dann weitere Instruktionen geben. Bis dahin …«

Er zog etwas Salack aus der Tasche. »Kau das. Ruh dich aus. Fürchte dich nicht.«

Essanits ging.

Fremant lehnte sich mit dem Rücken gegen eine Wand und kaute auf das Kraut. Allmählich gewann er etwas von seiner Kraft zurück.

Der Tag neigte sich. Ein Wärter kam und brachte ihm einen kleinen Krug Wasser und ein Stück Brot. Das Brot schmeckte muffig. Fremant spülte es mit Wasser hinunter.

Als die Dunkelheit aufzog, bemerkte Fremant – mittlerweile sensibilisiert für diese Dinge – eine Änderung des Lichteinfalls: Bald würde der Schleier wieder über Stygia City hinwegziehen.

Als es vollkommen dunkel geworden war und ein eisiger Wind durch die Gitterstäbe pfiff, hörte er draußen ein Geräusch. Das Tuch verschwand. Ein schwaches Licht erschien. Dann hörte er das dumpfe Poltern eines schweren Werkzeugs gegen die Wand, in die die Gitterstäbe eingelassen waren. Eine Pause. Die Stabilität der Stäbe wurde durch Rütteln geprüft, dann erneut ein dumpfes Poltern. Einer der Stäbe wurde losgestemmt, dann ein weiterer. Und noch einer.

Eine Hand schob sich in die Zelle. Sie hielt ein kleines Licht in einem Glas. Dann folgte ein Seil. Das Licht war das Signal. Es verschwand wieder.

Fremant griff nach dem Seil und zog daran, um zu prüfen, ob es sein Gewicht tragen würde, dann zog er sich daran an der Wand hoch. Er schlängelte sich durch die zahnlose Lücke seines Zellenfensters und kam auf allen Vieren auf dem Boden draußen an. Dienstbare Hände halfen ihm auf die Füße. Jemand klopfte ihm auf den Rücken.

»Die Pferde stehen um die Ecke«, sagte Essanits. »Ist alles in Ordnung mit dir? Wir müssen uns beeilen!«

Er wurde eine Böschung hinuntergeführt. Ein unbekannter junger Mann hielt den Arm des befreiten Sträflings fest im Griff, damit er nicht stolperte. Es war stockfinster. Weit und breit niemand zu sehen. In keinem der Fenster zeigte sich auch nur der geringste Lichtschimmer. Ganz offensichtlich weckte der Durchgang des Schleiers abergläubische Ängste in den Herzen der hiesigen Bevölkerung, nicht nur in dem von Astaroth.

Sie hasteten fort von der Zentrale zu einer schmalen Gasse. Katzen stoben davon, als sie sich näherten. Vier Mann begleiteten Fremant; Essanits und drei jüngere Männer.

»Sachte!« befahl Essanits. Sie liefen langsamer.

Ein stämmiger Mann wartete an der nächsten Straße auf sie. Er tauchte aus einem Eingang auf und drückte sich gegen den Türrahmen, um sie vorbeizulassen. Sie wurden durch einen schmalen Durchgang geführt und dann durch eine weitere Tür, hinter der der Geruch nach Pferden und Heu schwer in der Luft lag und sie das nervöse Scharren klauenbewehrter Hufe auf den Fliesen hörten.

Dieser Fremde schüttelte Fremant mit seiner dicken Pranke die Hand. »Ich bin der Stallmeister«, sagte er mit tiefer Stimme. »Ich helfe Essanits, obwohl ich damit nicht einverstanden bin, ist das klar?«

Fremant konnte kaum etwas erwidern.

An einem der Balken hing eine brennende Laterne. Fremant war jetzt in der Lage, seine Retter zu sehen. Essanits erkannte er sofort – der hochgewachsene, gutaussehende Mann mit dem großen, kantigen, glattrasierten Gesicht und den tiefliegenden Augen. Sein Mund mit den schmalen Lippen schien sich quer durch das Gesicht zu ziehen. Seine jüngeren Gefolgsleute ähnelten einander in diesem Moment sehr stark. Sie alle wirkten angespannt und nervös und unterschieden sich nur in den Frisuren: dichte Locken; blonde, bis auf kurze Stoppeln abrasierte Haare; eine Glatze.

»In Ordnung«, sagte Essanits. »Wir setzen uns in die Berge ab. Ich kenne einen Ort, wo du sicher bist, eine Siedlung namens Haven. Da wird Religion in Maßen praktiziert. Je eher wir die Stadt verlassen, desto besser.«

Unter Aufsicht des Stallmeisters zäumte und sattelte man einige der besten Pferde.

Die Insekten hatten kaum Ähnlichkeit mit echten Pferden. Aber es waren anspruchslose Tiere mit ausgeprägten Hinterbeinen, die die Last eines Menschen mühelos tragen konnten. Auf Kraft gezüchtet. Dank ihrer vergleichsweise kurzen Lebensspanne erzielte man schon nach kurzer Zeit erfreuliche Zuchtergebnisse. Man hatte bei der Zucht nicht nur auf Kraft, sondern auch auf unterschiedliche Farben geachtet. Trotzdem beäugte Fremant sie argwöhnisch.

Die Tiere widersetzten sich dem Zaumzeug, als wüssten sie, wie kalt es draußen war und welche Strapazen ihnen bevorstanden. Mit ihrem Scharren und Bocken wirbelten sie so viel Heustaub auf, dass einer von Essanits jungen Gefolgsleuten, ein zerbrechlicher Jüngling namens Hazelmarr, einen Niesanfall bekam.

Als er sich wieder etwas erholt hatte, flehte er: »Essanits, Sir, ich fürchte, ich bin für dieses Abenteuer nicht geschaffen. Ihr müsst ohne mich auskommen, zumal Ihr mich auch nicht wirklich braucht.«

Essanits musterte ihn durchdringend, während die beiden anderen Jugendlichen versuchten, Hazelmarr von seinem Entschluss abzubringen. »Na gut«, sagte Essanits, »wenn dir Glauben oder Mut fehlen, geh. Aber zu keinem ein Wort, verstanden?«

Hazelmarr nickte dumpf und schüttelte den Lockenschopf, aber als er sich zum Gehen wandte, packte der Stallmeister ihn am Arm. »Ihr könnt diesen kleinen Feigling nicht einfach gehen lassen«, sagte er zu Essanits. »Er wird bestimmt alles verraten. Ich kenne diesen Typ – man kann ihm nicht trauen. Eine Schlange, das ist er.«

»Willst du ihn deswegen umbringen?« fragte Essanits eisig.

»Nur so können wir sicher sein, dass er den Mund hält, oder?«

»Lass ihn gehen, Mann, klar? Er ist vielleicht ein Feigling, aber dafür verdient er nicht den Tod.«

So durfte Hazelmarr in der Nacht verschwinden, wobei der Stiefel des Stallmeisters etwas nachhalf.

Fremant, Essanits und die beiden anderen jungen Männer bestiegen die für sie ausgewählten Pferde. Fremant ritt einen Schecken namens Schneeflocke. Die rudimentären Flügel des Tiers knackten, als Fremant sich in den Sattel schwang.

Als Essanits dem Stallmeister einen Beutel Stigs gegeben hatte, ritten sie im Gänsemarsch auf die Straße hinaus.

»Ich muss bei Bellamia vorbei«, erklärte Fremant Essanits. »Ich schulde ihr noch die Miete für mein Zimmer.«

»Dafür haben wir keine Zeit«, sagte der blonde Oniversin. »Wir müssen so schnell wie möglich die Stadt verlassen.«

Essanits zügelte sein Pferd. »Fremant ist gut und ehrlich. Alle Menschen sollten ihre Schulden begleichen. Also zuerst zu Bellamias Haus. Es dauert nicht lang.«

Bellamia schlief schon. Sie mussten heftig gegen ihre Türe hämmern, bis sie öffnete. Sie zog die Tür nur einen Spalt auf, damit alle sehen konnten, dass sie mit einem Knüppel und Flüchen auf den Lippen bewaffnet war.

»Du hast mich in Schwierigkeiten gebracht, du Teufel«, beschimpfte sie Fremant, der abstieg. »Ein paar Raufbolde aus der Zentrale waren hier und haben nach dir gefragt. Sie sagten, ich hätte dir keine Unterkunft geben dürfen. Ich fürchte um mein Leben. Wirklich und wahrhaftig.«

»Hör zu, Bellamia, wir haben es sehr eilig. Hier ist das Geld, das ich dir noch schulde.«

Er hielt ihr das Geld hin.

»Geld nützt mir nichts, wenn die mir die Kehle aufschlitzen, oder?« Sie riss die Tür weit auf. »Los, nehmt mich mit, wo ihr auch hingeht. Ich koche für euch.«

»Es bringt Ärger, wenn wir eine Frau mitnehmen«, sagte Ragundy, der kahlköpfige junge Mann.

»Ich mach nur dem Ärger, der mich ärgert«, erwiderte sie.

Bellamia hatte in den Kleidern geschlafen und schien zum Aufbruch bereit.

»Was ist mir dem Papagei?« fragte Fremant.

»Zur Hölle mit dem Papagei«, antwortete sie. »Ich lass ihn frei.«

Nach einem kurzen Disput befahl ihr Essanits, sich hinter ihn auf sein Pferd zu setzen und gut festzuhalten. Er half ihr hoch, dann ging es los.

Der Kontinent, an dessen Küste sich Stygia City befand, hatte sich schon vor langer Zeit zum Ozean hin gesenkt. Verließ man Stygia City in Richtung Landesinneres, war damit ein stetiger Anstieg verbunden – nicht wirklich steil, doch unablässig. Es ging kontinuierlich aufwärts, bis die Reiter am zweiten Tag einen höheren Berg erreichten, der den Beginn weniger gleichförmigen Geländes und einer anderen Landschaft markierte.

»Alle absteigen!« befahl Essanits. Er half Bellamia vom Pferd.

Die anderen saßen ebenfalls ab und blickten sich unsicher an.

»Wir sollten Gott danken, dass er uns bis hierher gebracht hat.«

»Gott!« rief Ragundy aus. »Wir haben Gott vor langer Zeit hinter uns gelassen.«

»Jesus Christus hat diesen Planeten nur für kurze Zeit besucht, ihn wieder verlassen und ist niemals zurückgekehrt. Diese Abwesenheit ist der Grund für viele unserer Probleme«, erklärte Essanits. »Wir werden Gott dafür danken, falls er uns zuhört, dass er uns sicher bis hierher geführt hat, in ein Land, das frei ist von der Verderbtheit, die in Stygia City herrscht. Lass uns standhaft sein, und mögen wir häufig in deinen Gedanken vorkommen. Amen.«

Verlegen murmelten auch Fremant und Ragundy Amen.

Ragundy fragte, ob Gottes Gedanken auch Frauen galten. Essanits erwiderte geduldig: »Du versuchst ständig, mich zu provozieren, Ragundy. Das ist ein Ausdruck deines wirren Charakters. Solltest du irgendwann die Lust daran verlieren, wirst du Gott näher sein und dich besser fühlen. Ich bete für diesen Tag.«

Bellamia reagierte schärfer: »Nur mal angenommen, es gäbe einen Gott, dann würde er sehr viel wahrscheinlicher mich haben wollen als einen kleinen Dummkopf wie dich!«

»Ach, haltet doch beide den Mund«, sagte Oniversin.

»Wir müssen alle unsere Zungen hüten«, erklärte Essanits, »und hoffen, dass dadurch Vernünftiges über unsere Lippen kommt.«

Fremant wollte wissen, wie es jetzt weiterging.

Wortlos streckte Essanits den Arm aus und zeigte zu den Bergen.

Sie sattelten die grasenden Pferde und ritten weiter.

Von hier führte ein nur schwach erkennbarer Pfad zwischen

den Felsblöcken hindurch. Einige dieser Blöcke hatten die Größe von Häusern. Schichten aus farbigem Ton, gelbe Zickzacklinien, durchzogen viele davon. Am Fuß der Felsblöcke wuchsen verschiedene Pflanzen. Einige blühten, einfache schwarz-weiße Blütenblätter. Bellamia wollte absteigen und sie pflücken, doch Essanits verweigerte eine Rast.

Als die Pferde vorantrabten, wuselten kleine, flügellose, vogelartige Insekten zwischen den Felsen herum und klickten ihnen ihren Abscheu über die menschlichen Störenfriede entgegen.

Am folgenden Tag kamen sie in offeneres Terrain mit ebenem Grund. Vor ihnen erhob sich ein kleiner Hügel. Auf dem Hügel und darunter standen ein paar Häuser.

»Das dort drüben ist Haven«, sagte Essanits, »wo man uns freundlich aufnehmen wird.«

Es war so, wie er sagte. Als sie sich den Häusern näherten, stiegen sie alle bis auf Essanits ab, damit die kleine Gruppe Menschen, die ihnen entgegenkam, sie nicht als Bedrohung empfand.

Die Begrüßung fiel ernst und nüchtern, aber trotzdem freundlich aus. Man bat die Neuankömmlinge ins Dorf, Fremant führte Schneeflocke am Zügel. Er spürte die Fremdheit dieses Ortes. Ihn überkam wieder das Gefühl, überall ein Fremder zu sein, wie Breeth gesagt hatte. Er lag im Widerstreit mit sich selbst.

»Dank sei Jesus Christus, der uns hierher geführt hat«, sagte Essanits zu der Menge, bevor er absaß.

Viele Hütten waren auf Stelzen gebaut, Leitern führten in die Wohnräume. Insektenwesen, die kleinen Ziegen ähnelten, standen angepflockt unter den Häusern, dazu hier und da ein Pferd; die Dächer der Häuser waren mit Grassoden gedeckt. Eine Schmiede und ein Stall, wo man Pferde mieten konnte, grenzten an einer Seite des Hauptplatzes aneinander. In einem anderen Haus wurde Milch und eine Art Käse verkauft, den man hier Katschkall nannte.

In einer der Hütten ohne Stelzen hauste ein Töpfer; hinter seinem Haus lag eine Müllhalde zerbrochener Gefäße. Die braunen Scherben erinnerten an die Überreste der Schalen von Meereslebewesen. Über dem Töpfer, erfuhr Fremant, lebte ein Einsiedler, der Kleidung fertigte. Eines der Häuser, die den Platz säumten, der als Dorfplatz diente, war für Gäste reserviert; hier quartierte man die Neuankömmlinge ein.

Insgesamt wirkte das Dorf Haven nicht besonders anheimelnd. Fortschrittlichste Technik hatte diese Menschen hierher geführt; jetzt machten sie aber unübersehbar den Eindruck, als seien sie ins Mittelalter der Erde zurückgefallen.

Zuerst kam es Fremant vor, als würde die Bevölkerung von Haven nur aus Säuglingen und Alten bestehen. Statt Musik hörte man das Geschrei von Kleinkindern, oder zumindest einzelne Schreie. Gerade diese Laute fand er besonders beunruhigend. Bei näherem Hinsehen entpuppten sich die Alten als gar nicht so alt, eher verwittert, ausgelaugt von der Arbeit auf den Feldern. Das Saatgut aus den Laderäumen der *New Worlds*, die sie nach Stygia gebracht hatte, gedieh nicht auf dem Boden Stygias. Der stygische Boden bestand zum größten Teil aus unfruchtbarer Erde, wie oft beklagt wurde.

Trotz des klingenden Namens war Haven eine triste Gegend ohne Gelächter und Musik. Ein alter Prediger namens Deselden verstärkte die düstere Stimmung noch mit seinen Predigten, doch die meisten Menschen hörten ihm mangels besserer Unterhaltung zu.

Man kannte Essanits hier und empfing ihn höflich. Nur für ihn sangen zwei Reihen von adrett gekleideten Kindern, aufgeteilt nach Jungen und Mädchen, einen Kanon, der immer wieder den Satz: »Mögest du hier Ruhe finden, und in Jesus« wiederholte. Nach dem Lied blieben sie ruhig und artig unter der Aufsicht einer grauhaarigen Frau stehen, die sich als Liddley vorstellte. Sie bezeichnete sich als »Schullehrerin«.

Der füllige Älteste namens Deselden, offenkundig eine Autorität in dieser Gemeinschaft, hielt eine ausufernde Rede und sprach ein wortreiches Gebet der Selbstkasteiung zu Ehren von Essanits, der seinem Beispiel folgte. Am Abend servierte man ihnen ein frugales Mahl, gab ihnen jedoch gleichzeitig deutlich zu verstehen, dass sie vom nächsten Tag an für sich selbst sorgen mussten. Bellamia hörte es mit Freuden.

»Das Wasser aus dem Brunnen schmeckt scheußlich«, sagte sie hinter vorgehaltener Hand. »Scheußlich! Ich koche jeden Tropfen ab, sonst werden wir alle krank.«

Die Pferde wurden unter dem Gästehaus angebunden. Als die Gefährten sich auf Matratzen schlafen gelegt hatten, hörten sie die Bewegungen der Tiere unter ihren Köpfen.

Es klang wie Türenschlagen. Im Halbschlaf hörte Fremant die Schreie wieder, und Männer, die sich unterhielten.

Eine der Stimmen kannte er. Er erinnerte sich an den kultivierten amerikanischen Tonfall aus einer sehr lange zurückliegenden Zeit. Eine Woge der Angst spülte ihm den Namen ins Gedächtnis zurück. Abraham Ramson! Mit der Erinnerung kam die Erkenntnis, dass er angekettet auf dem Boden lag.

Abraham Ramson sagte gerade: »… verschwendet unsere Zeit. Lassen Sie ihn laufen, Algy. Er ist ein Niemand. Er will sich als Engländer fühlen. Er hat diese englische oder irische Frau, wie auch immer die heißt, und ein Buch geschrieben, das er selbst komisch findet. Ich habe reingesehen. Es ist dumm und harmlos.«

Eine andere Stimme: »Aber er schreibt, dass der Premierminister ermordet werden soll.«

Ramson antwortete. »Na und? Ich neige dazu, ihm zu glauben, wenn er sagt, das sei komisch gemeint. Wenn er wirklich ein Attentat auf Ihren Premierminister planen würde, hätte er es kaum in Buchform angekündigt, oder?«

»Na gut, und jetzt? Sie plädieren dafür, ihn freizulassen, Abraham?«

»Sicher. Zeigen Sie diesem kleinen Arschloch, was Gnade

ist. Schmeißen Sie ihn raus! Werden Sie ihn los! Lassen Sie ihn laufen.«

»Genieß deine so genannte Freiheit«, sagte Essanits zu Fremant. »Du kannst hier in Haven bleiben und religiöse Werte zurückgewinnen.« Er und Fremant, Bellamia, Ragundy und Oniversin frühstückten Brot, Honig und Gläser voll Wasser aus dem Dorfbrunnen. Das Wasser schmeckte tatsächlich verdorben.

Nach dem Mahl spazierten Fremant und Ragundy durch das Dorf. Fremant versuchte das dumpfe Gefühl loszuwerden, gar nicht wirklich dort zu sein. »Ich bin krank«, sagte er zu sich. Ein großes Kreuz stand auf einer Seite des Dorfplatzes. Ragundy wies ihn darauf hin. »Das ist das Zeichen von Essanits«, sagte er. »Mittlerweile hast du sicher gemerkt, dass er etwas weggetreten ist, was diesen Kerl, diesen Jesus Christus angeht. Wer war Christus, weißt du das? Ich kann mich nicht erinnern, dass er auf dem Schiff gewesen ist.«

»So viel ist verlorengegangen.«

»Aber wollen wir es zurückhaben? Die Gegenwart ist auch ohne Jesus Christus schlimm genug.«

»Ich weiß nur, er wurde umgebracht, mehr interessiert mich nicht.« Er seufzte und dachte an seinen Schwur, Astaroth zu töten.

Am Abend hatten sie Gelegenheit, mehr zu erfahren. Tagsüber war es still in Haven. Am späten Nachmittag kehrten die Arbeiter müde von den Feldern zurück, einige brachten ihr Vieh mit. Ihre Gesichter wirkten erschöpft. Viele gingen sofort in ihre Häuser, um sich eine Weile auszuruhen. Sie kamen wieder auf dem Dorfplatz zusammen, als die Sonne hinter einem Berg in der Ferne unterging, und der Älteste Deselden sprach zu ihnen.

»›Warum sind wir diesen weiten Weg von unserem Heimatplanet gekommen?‹ Das ist eine Frage, die große Frage, die wir uns oft stellen. ›Warum sind wir diese weite Strecke gekommen?‹ Ist es nicht genauso, wenn wir am Ende unserer Tage feststellen, dass wir seit unserer Kindheit einen langen Weg zurückgelegt haben? Wir haben Besucher, die nur einen kurzen Weg kamen, aus Stygia City. Aber wenn es um das geistige Wohl geht, ist Stygia City weit von uns entfernt. Dort, in der Stadt, gelten die Gesetze eines verderbten Mannes, Astaroths und seiner Partei. Hier in Haven beugen wir uns nur einem Gesetz, dem von Jesus Christus.

Wenigstens versuchen wir, uns Christi Gesetzen zu unterwerfen, denn sein Gesetz bedeutet geistige Freiheit, und sie ist nur schwer zu erlangen. Wir müssen stets so gut wir können danach streben.

Es ist nicht zuletzt ehrbar, arm zu sein, weil Jesus Christus arm war. Christus war nie auf dieser Welt. Er setzte nie seinen Fuß auf Stygia. Wir fristen unsere Existenz auf ungeweihtem Boden. Und deswegen sieht Gott auf uns alle mit Verachtung herab und wir müssen uns demütig zeigen. Tun wir das ehrlich, aus tiefstem Herzen, dann werden wir am Ende bei Christus sein und in seinem Glanz leben, ganz anders als unser jetziges Leben.

Bruder Essanits, der große Heilige unseres Glaubens, wird jetzt für unsere Erlösung beten.«

Bei diesen Worten beugten alle die Häupter. Alle, bis auf Ragundy, der Fremant zuflüsterte: »Nimm's mir nicht übel, aber da mach ich nicht mit …« Er verließ die Versammlung.

Essanits sagte mit lauter Stimme: »Herr unser Gott, ich glaube nicht, wie Bruder Deselden, dass du entweder verächtlich oder liebevoll und gütig auf uns herabschaust. Ich glaube nicht, dass du überhaupt auf uns herabschaust, weil du der Meinung bist, dass wir alle gesündigt und das eingeborene Volk Stygias, die Hundefroinder, ausgerottet haben. Und in dem Fall trifft mich die größte Schuld. Ich folgte sklavisch dem Willen des Volkes und Astaroths. Doch als ich die Toten sah, für die ich die Verantwortung trage, brach ich in Tränen aus – und du, Gott, hast diese Tränen gesehen.

Ich glaube, dass Christus auf der Suche nach uns auf diesem Planeten wandelte, uns aber nicht fand.

Schenke uns deine Aufmerksamkeit, oh Herrgott, und segne uns und diesen Planeten, der auf uns übergegangen ist, damit wir in Frieden miteinander leben können und nicht in ewiger Qual. Amen.«

»Amen«, wiederholte die Menge voll Inbrunst. Dann blickten sie um sich, als erwachten sie aus einer Trance. Eine Frau, die ein kleines Kind an ihre Brust gedrückt hielt, kniete nieder und küsste Essanits die Hand, aber die meisten Leute wirkten unsicher und zerstreuten sich in ihre Häuser.

Der Älteste Deselden zog Essanits beiseite. Vier seiner Schüler standen hinter ihm, demütig und beflissen. Deselden sprach mit gemessener Stimme, aber in seinem Blick lag Hass. »Bruder, du sprichst gegen meine Lehre und du predigst Ketzerei. Jesus Christus wandelte nie auf diesem Planeten. Dies ist ein heidnischer Ort, voller fremdartiger Lebewesen, die keinen Gott kennen. Du lästerst Gott, wenn du sagst, dass Christus jemals seinen Fuß auf diese Erde gesetzt hat. Glaubst du, Insekten haben einen Gott? Ich verbiete dir, noch einmal zu meinen Leuten zu sprechen.«

Essanits zügelte seine Verärgerung. Später jedoch sagte er zu der grauhaarigen Frau Liddley, die ihm zur Hand ging, er habe gehört, Deselden beanspruche einen großen Teil des Landes um das Dorf als seinen Besitz, und das sei sündhaft.

Liddley antwortete: »Das Land sollte niemandem gehören, wie Wasser und Luft niemandem gehören. Aber das Land wird von kleinen Dacoin verheert, die die Ernten vernichten. Meister Deselden hat versprochen, uns von den Dacoin zu befreien, deswegen hat er die Kontrolle über das Land übernommen. Doch die Dacoin kommen weiterhin und werden sogar mehr, deswegen behält Deselden das Land in seiner Obhut.«

Essanits, der genau zugehört hatte, war verwirrt. »Wie kann das sein?« fragte er.

Die Frau sah sich nervös um. »Einmal im Jahr veranstaltet er eine Jagd, bei der die Dacoin zu Dutzenden getötet werden. Nur er kann sich Gewehre und Kugeln leisten.«

Er runzelte die Stirn: »Woher bekommt er die Gewehre und Kugeln?«

Sie machte eine hilflose Geste. »Sie werden hier im Dorf hergestellt. Von einem Waffenschmied namens Utrersin. Ein guter Mann mit einem schlechten Beruf.«

»Und wie kann sich ein heiliger Mann diese Dinge leisten?«

Sie seufzte schwer. »Wir, die auf den Feldern arbeiten, führen einen kleinen Teil unserer Einkünfte an Deselden ab. Zwar nur wenig, aber genug, dass die meisten von uns in Armut leben müssen.«

Er legte ihr die Hände auf den Kopf und blickte mitleidig in ihre grauen Augen. Er segnete sie.

Eine Folge von Essanits frommem Gebaren war, dass Fremant Angst hatte, mit ihm zu reden. Er suchte die Gesellschaft von Bellamia mit ihrem gesunden Menschenverstand.

Bellamia steckte bis zu den Ellbogen in einer großen Schüssel voll Mehl. »Aus diesem Mehl, wie es jetzt ist, kann ich einen Tortenboden machen. Das ist etwas ganz anderes. Ich sehe nicht, wie Essanits Menschen zu etwas anderem machen kann. Wenn Gott gewollt hätte, dass wir anständige Leute sind, hätte er uns zu anständigen Leuten machen können. Warum hat er das nicht?«

»Wir versuchen, anständige Leute zu sein, Bellamia.«

»Einige ja, andere nicht. Aber warum macht er es uns so schwer? So gottverdammt schwer … Von Anfang an ist alles im Leben gegen uns. Man muss sich nehmen, was man kriegen kann, oder nicht? Ich meine, zum Überleben. Nur zum Überleben.«

Fremant sah das anders. Die lange Reise von der Erde war

in der Hoffnung unternommen worden, einen besseren Ort zu finden. Bedauerlich, dass sich nach der Rekonstitution verschiedene Fraktionen gebildet hatten. Aber er meinte doch, dass das Leben in Haven besser, wenn auch härter war als in der Stadt, die sie hinter sich gelassen hatten.

»Nein, das kann man nicht sagen. In Stygia City konnten wir gut leben. Diese Leute hier leben wie die Tiere, ziehen gerade das Notwendigste aus dem Land und haben dann noch diese Religionssache, die ihnen im Nacken sitzt. Wer ist dieser Jesus Christus, von dem die alle reden, das würde ich gern wissen?«

»Die Kinder scheinen im Großen und Ganzen ruhig und zufrieden zu sein.«

»Scheinen? Scheinen? Alle möglichen Dinge scheinen, oder etwa nicht?«

Insgeheim dachte Fremant, dass Bellamia einfach nicht offen für neue Ideen war. Er sah, dass Essanits von Reue gequält wurde und der Gedanke an einen gütigen Gott, der vom Himmel auf sie herunterblickte, seinen Geist beruhigte. Im Augenblick dachte er nicht weiter als bis zu diesem Punkt.

Er erwachte am folgenden Morgen mit dem Bewusstsein, dass er frei war. Er musste nichts tun, niemandem Rede und Antwort stehen, schuldete keinem gestrengen Herrn Dienste. Für ihn war das ein unangenehmes Gefühl, als habe er plötzlich seine Existenzberechtigung verloren. Er fragte sich, ob er nicht uneingeschränkt froh sein müsse, frei zu sein. Trotzdem lag ein Schatten auf seinen Gedanken.

Beim Frühstück erwähnte er das eher beiläufig gegenüber Essanits.

»Nur im Dienste Gottes sind wir wirklich frei.«

Essanits Bemerkung irritierte Fremant.

»Das ist nicht das, was ich mit frei meine.«

Essanits sah ihn mit einem vagen Lächeln auf dem breiten Gesicht an. »Zweifellos. Du meinst mit ›frei‹, deinen eigenen ziellosen Begierden ausgeliefert zu sein. Was ich unter frei verstehe, ist die Freiheit, geradewegs auf das vollkommene Leben Christi zuzugehen.«

Er hielt Essanits für verrückt. Essanits lächelte und nickte, offenkundig in Einklang mit sich selbst.

»Woher weißt du, worin dieses ›vollkommen Leben Christi‹ besteht?«

»Glücklicherweise haben einige wichtige Datenträger das Chaos dieser letzten Jahre auf dem Schiff überstanden.«

Fremant machte sich auf die Suche nach Bellamia, konnte sie aber nirgendwo entdecken. Er fragte Liddley nach ihr, die ihm sagte, dass sie sie bei einem der Männer gesehen hatte, mit dem sie an der Herstellung von Kleidung arbeitete.

»Es geht dich ja nichts an, was sie tut«, meinte Liddley mit einem Lächeln.

Fremant sah sie herausfordernd an. »Du wirkst ziemlich aufmüpfig. Wie kommt das?«

Liddley machte eine wegwerfende Geste. »Ich bin der Arbeit auf den Feldern entkommen. Mein Mann arbeitet dort, aber ich habe nicht viel mit ihm gemein. Er denkt nicht. Ich verdiene einen Hungerlohn, indem ich mich um Kranke und Kinder kümmere. Das zwingt zum Nachdenken …«

Sie zog eine Art Cape zur Seite, das ihren Oberkörper bedeckte und zeigte ihm ein kleines Kind, das dort ruhte.

Fremant starrte es entsetzt an. Sein Fleisch sah ganz gelb aus. Man sah die kleinen Ärmchen, mit denen es sich an dem Tuch festklammerte, das ihm Halt gab. Sie waren dünn wie Hühnerbeine. Es regte sich nicht.

»So verdiene ich meinen Lebensunterhalt«, sagte Liddley. »Abgesehen von der Arbeit als Lehrerin, für die mir die Eltern das Wenige zahlen, was sie entbehren können.«

Die Missgeburt an ihrer Brust hatte einen deutlich zu großen, haarlosen Schädel. Er war runzlig und wirkte uralt. Sie sah Fremant aus trüben Augen an. Der Mund war zu einem versunkenen Lächeln verzerrt.

»Was fehlt ihm?« fragte er.

»Sie stirbt«, sagte Liddley emotionslos. Sie zog ihr Cape wieder über das Baby. »Stygia bekommt ihr nicht. Schlaf jetzt, mein armes kleines Schätzchen ...«

Fremant hatte genug von Trauer und traurigen Menschen. Er brauchte etwas – was, wusste er nicht. Doch wenigstens stand es ihm frei, sich ein wenig Einsamkeit zu gönnen.

Er streifte in die Hügel der näheren Umgebung und genoss die frische Luft, den Gesang der verschiedenen Insektenarten, die Farben und das Leben um ihn herum. Manchmal legte er sich in die kleinen trockenen Kräuter, die hier wuchsen, streckte die Glieder und sah zum Himmel hoch, blickte in dessen Tiefen wie in die Tiefen eines klaren Gebirgssees.

Es wimmelte von Dacoin. Er beobachtete sie. Sie waren muntere kleine Dinger mit knochigen Panzern und großen Babyaugen – wahrscheinlich, so nahm er an, damit sie auch während des Lichtaus sehen konnten.

Viele Tage wanderte er so herum, entzückt von der – wie er meinte – Leere des Landes. Er gelangte zu einem kleinen Teich, der von einem Bach gespeist und von einem alten Baum beschattet wurde. Der angenehme Klang des fließenden Wassers ließ ihn verweilen. Er entledigte sich seiner spärlichen Kleidung und suchte seinen Körper nach Zeichen der Folter ab, nach Narben, die die Tyrannei hinterlassen hatte wie Orientierungspunkte auf einer Landkarte. Er entdeckte nichts. Da er schon einmal nackt war, sprang er in den Teich. Das kalte Wasser ließ ihn keuchen.

Er strampelte heftig und brachte das Wasser mit Händen und Füßen zum Schäumen.

Etwas anderes schwamm dort. Es schoss aus der Tiefe zu ihm empor, neugierig, vielleicht auch hungrig. Erschreckt packte er es und schleuderte es ans Ufer. Zappelnd blieb es dort liegen. Er stieg aus dem Wasser, um es zu betrachten.

Das Wesen war einen halben Meter lang und mit Chitinschuppen besetzt, glatt an den Körper gelegt, damit es sich schneller durch das Wasser bewegen konnte. Kein Fisch, es hatte weder Flossen noch Kiemen. Es besaß vier klauenartige Gliedmaßen, die es Fremant entgegenstreckte. Der Kopf, der auf einem plumpen Körper saß, hatte nur entfernt Ähnlichkeit mit einem menschlichen Schädel, während die vorspringenden Kiefer eher an einen Vogelschnabel erinnerten. Er stand über das Wesen gebeugt. Es sah mit vier Facettenaugen zu ihm auf und gab leise, langgezogene Töne von sich.

Ihn schauderte bei diesem Anblick; er machte ihm Angst. Er ergriff einen Stein und zerschmetterte den Schädel, aus dem eine schäumende, zähe Masse austrat. Dann bedauerte er es. War dieses Wesen feindselig gewesen? fragte er sich. Vielleicht nur neugierig, wie er auch.

Er kniete nieder, um Körper und Geschlechtsorgane zu untersuchen. Das Verlangen nach einer Frau überkam ihn – nach der Umarmung einer Frau, ihrer Begierde, ihrer Leidenschaft, ihrer Liebe.

Sinnend blieb er am Ufer sitzen und achtete nicht mehr auf den Klang des fließenden Wassers. Hier war diese wunderbare Welt Stygia, kaum erforscht, noch weniger verstanden. Warum erkundeten die Menschen sie nicht, statt sich in verschiedene Fraktionen aufzuspalten und sich zu bekämpfen, eine Gruppe gegen die andere? Hatten sie zuviel Angst davor? Vielleicht würden sie ja, wenn sie weiter ins Innere vordrangen, diesen Jesus in all seiner Reinheit dort vorfinden.

Schließlich stand er auf. Er sah ins Wasser und fragte sich, ob das tote Wesen dort einen Gefährten haben mochte, der in der Tiefe lauerte. Er ging nicht wieder hinein.

Nach tagelanger Wanderschaft gelangte er in ein kleines Tal, in dem Salack in großen Mengen auf dem Boden wucherte – kleine blaue und weiße Blüten, die einen intensiven, süßlichen Geruch verströmten. Er rupfte sie büschelweise aus und bereitete sich daraus ein Bett. Der Duft machte ihn auf angenehme Weise schläfrig. Er versuchte nicht, das Kraut zu essen.

Während er dort lag, setzte sich ein geflügeltes Wesen mit Schwingen wie aus Buntpapier ausgeschnitten und einem langen stielartigen Schwanz auf seine Brust. Erschreckt packte Fremant es mit einer blitzschnellen Bewegung seiner Faust und zerquetschte es. Bestürzt und angeekelt setzte er sich auf und schüttelte die schleimigen Überreste von der Hand. Er befand sich in unbekanntem Territorium. Er wusste nicht, ob diese Insekten harmlos waren oder nicht.

Und er dachte über sich nach. Über seinen ständigen Impuls, zu töten …

Er wusste auch nicht, welche wilden Tiere in dieser Gegend leben mochten, die aus Steppe, Strauchwerk und kleinen Bäumen bestand. Dort, wo er sich jetzt befand, näherten sich ihm tagsüber oft kleine, tschilpende Tiere wie Grashüpfer, die auf langen Beinen herumstelzten. Sie flohen jedoch, wenn er versuchte, sie aus der Nähe zu betrachten. Am Tag wirkten sie sehr verspielt. Aber als die Sonne unterging und die Dämmerung hereinbrach, verkrochen sich diese Kreaturen in den Ästen der kleinen Bäume, wo sie Netze spannen, still wurden und eng aneinanderrückten.

Fremant schloss daraus, dass hier nachts große unbekannte Räuber auf die Jagd gingen. Er suchte sich einen Baum als Zuflucht und vertrieb die Grashüpfer-Tiere, damit er die unteren Zweige für sich hatte. Hier war es kälter als am Boden und zweifellos sicherer. Er hätte auch gern jemanden gehabt, an den er sich schmiegen konnte. Er schlief schlecht, weil er nicht wusste, was am Boden lauern mochte.

Manchmal schien er zu frieren, manchmal zu schweben.

Als er eines Nachts aufschreckte, sah er die Brüder über sich ihre Bahnen ziehen. Sie warfen ein flüchtiges Licht auf die Welt darunter. Er beobachtete sie mit einer Art Sehnsucht. In den Jahrhunderten der Raumreise hatten die im LWS eingelagerten Sterblichen alle persönlichen Beziehungen eingebüßt. Die Männer hatten keine Frauen, die Kinder keine Mütter. Sie alle vereinte nur noch das symbolische Band der Bruderschaft. Die Zukunft war ihrer aller unscheinbare Braut.

Als er sich in seiner Erschöpfung ruhelos hin und her warf, glaubte er die Schritte von Räubern zu hören. Alles war so wirr. War es zwei – oder drei? – Tage her, seit er das letzte Mal schlafen durfte? Er war gezwungen, in einem Korridor neben einer geschlossenen Tür zu stehen. Ein Posten bewachte ihn. Er war erschöpft. Seit einer Stunde, seit zwei Stunden schon stand er zitternd da. Er kämpfte gegen die Tränen der Erschöpfung, die in ihm aufstiegen.

Obwohl er sich wünschte, dort nicht mehr stehen zu müssen, fürchtete er sich vor der Behandlung, die ihm drohte, wenn er in den Raum beordert wurde.

Sie riefen ihn hinein.

Ein kleiner fensterloser Raum. Nur ein einfacher Tisch und zwei Stühle. Einer der Stühle hatte Armlehnen. Er sah ihn sehnsüchtig an, wagte aber nicht, sich ihm zu nähern.

Ein salopp gekleideter Mann mit offenem Hemdkragen betrat den Raum durch eine rückwärtige Tür.

Er deutete auf den Stuhl mit den Armlehnen.

»Setzen Sie sich doch bitte. Ich muss mich entschuldigen, dass ich Sie warten ließ.« Er wandte sich lächelnd an den Wachposten. »Sie können uns jetzt allein lassen, Charlie. Wir kommen schon zurecht, vielen Dank.«

Er stellte sich vor, indem er den Gefangenen anwies, ihn Dick zu nennen.

Er war glattrasiert, Mitte vierzig, mit rosiger Haut. Sein braunes Haar war lang und zerzaust. Er setzte sich dem Gefangenen B gegenüber. Vor sich auf dem Tisch platzierte er einen dicken Aktenordner, den er langsam durchblätterte.

Dieses Verhalten machte den Gefangenen B nervös, der bequeme Stuhl ihm Angst. Er sehnte sich nach Schlaf.

Plötzlich warf der Verhörbeamte seinem Gefangenen einen Blick zu und sagte: »Sie sehen etwas blass aus. Haben Sie in letzter Zeit nicht gut geschlafen? Möchten Sie eine Tasse Tee?«

Vor dem inneren Auge des Gefangenen erschien das Bild einer Tasse Tee in all ihrer Pracht. Er bejahte eifrig. »Dick« sah aufmunternd drein, unternahm aber nichts weiter und vertiefte sich wieder in seine Akte.

»Ich sehe hier, dass Sie fließend Paschtu, Belutschi und Urdu sprechen?«

»Nein, das stimmt nicht. Ich kann nur ein paar Brocken Urdu.«

»In welcher Sprache haben Sie sich mit Osama bin Laden unterhalten?«

Diese befremdlichen Fragen ließen ihn stottern. »Ich habe nicht … Ich habe nie …ich habe mich nie mit … Ich habe bin Laden nie getroffen, als er noch lebte.«

Mit einem duldsamen Lächeln erklärte der Verhörleiter: »Sie werden schwerlich mit ihm gesprochen haben, seit er tot ist.« Er forschte weiter in der Akte.

»So, Paul, würden Sie mir etwas über Ihr Leben erzählen?«

Der freundliche Tonfall des Mannes, seine gespielte Freundlichkeit, setzten etwas in dem Gefangenen frei, führten zu einem Wortschwall, den er kaum kontrollieren konnte.

Paul erzählte von der Jahre zurückliegenden Ankunft seines Vaters in England. Ungefähr vor fünfundzwanzig Jahren. Nein, vor vierundzwanzig. Er sprach gut Englisch. Er lehrte seinen Sohn, England wegen der gemäßigten Politik und des milden Klimas zu lieben. Seine Frau fand sich nie damit ab, dass sie Uganda verlassen hatten, und lernte kein Englisch. Sein Vater verstieß sie und ließ sich scheiden.

Danach heiratete sein Vater eine Engländerin, Gloriana Harbottle, die ihm wenig später Paul gebar. Gloriana verlangte zuviel von ihrem Mann. Er fühlte sich minderwertig. Er trank und wurde gewalttätig.

Paul kleidete sich wie ein englischer Junge. Integration hieß das Zauberwort. Seine Mutter beschützte ihn vor seinem Vater. Man lehrte ihn, die englischen Gesetze zu achten. Er kam auf eine gute Schule, wo er gnadenlos drangsaliert und verspottet wurde. Die anderen Jungen nannten ihn den »irren Hussein«. Aber er machte seinen Abschluss und bekam später einen anständigen Job bei einem Notar, wo er …

»Ich weiß gar nicht, wo diese Tasse Tee bleibt«, sagte der Vernehmungsbeamte abwesend, und unterbrach so den Fluss der Erinnerungen.

Gekränkt hielt der Gefangene inne, bevor er weitersprach. »In der Kanzlei dieses Notars …«

»Ich sehe, man hat vermutet«, unterbrach der Verhörleiter, ohne von seinen Papieren aufzusehen, »dass Sie einer Gehirnwäsche unterzogen wurden, sodass Sie unbewusst in Wirklichkeit ein zwanghafter Mörder sind – ein Schläfer, der nur auf das Signal wartet, zu morden …«

»Das ist Blödsinn. Ich bin völlig normal.«

Der Verhörleiter sah auf. Er gestikulierte mit dem Arm, machte ein fragendes Gesicht und sagte beschwichtigend: »Aber gewiss nicht ganz normal. Ihre Krankenakten zeigen eine Persönlichkeitsstörung. Man spricht von multiplen Persönlichkeiten.«

Sie hatten also seine Krankenakte …

»Ich bin kein Mörder«, sagte er. »Im Gegenteil.«

»Ach, das ist mir klar. Eine lächerliche Annahme. Da hat jemand zu oft *Der Manchurian Kandidat* gesehen.« Er kicherte.

Paul hatte das Gefühl, dass hier endlich mal jemand auf seiner Seite stand. »Diese gespaltene Persönlichkeit, wie es früher hieß, ist sogar ganz nützlich bei meiner Arbeit als Schriftsteller.«

»Ach? Also wann hatten Sie das erste Mal Geschlechtsverkehr mit dieser irischen Frau, Doris McKay, oder wie immer sie hieß?«

Er war verblüfft und abgestoßen. »Das hat damit gar nichts zu tun!«

»Und Sie haben auch ihre Schwester gefickt, schätze ich!«

»Ganz sicher nicht.«

»Sind Sie beschnitten?«

»Warum fragen Sie?«

»Wie oft hatten Sie Analverkehr mit dieser Frau?«

»Was soll das alles?«

»Es heißt, sie ertrug den Geschmack Ihres Spermas nicht.«

Er wollte aufstehen, aber das erwies sich als schwierig. »Was für blödsinnige Fragen!«

Dick wurde wütend. »Sie wagen es, die Stimme gegen mich zu erheben? Warum weigern Sie sich plötzlich, meine Fragen zu beantworten? Ich dachte, wir würden gut vorankommen, wir hatten doch bisher einen ganz guten Draht zueinander. Jetzt haben Sie die Stirn und nehmen sich Frechheiten heraus ...«

»Nein, ich muss nur nicht ...«

»Was soll das? Sie widersprechen mir? Und das, obwohl ich Ihnen helfen wollte? Undankbares Schwein!« Er hieb mit der Faust auf den Tisch. »Laut Akte sind Sie ein mieser Aufwiegler! Wache!«

Der Wachmann tauchte erstaunlich schnell auf.

»Charlie, nimm den Sausack und sperr ihn in eine der Zellen im Keller.«

Paul wimmerte. »Hören Sie, es tut mir leid, ich wollte nicht ...«

»Ihr Moslems seid alle gleich!« brüllte Dick. »Undankbare Schweine!«

»Komm schon, Sonnyboy!« sagte der Wachmann, packte Paul im Nacken und stieß ihn vor sich her.

Die Zelle im Keller war klein und dunkel. Schleimige Wände. Schleimiger Boden. Es stank durchdringend nach Erbrochenem. Etwas krabbelte über den Körper des Gefangenen; er kreischte. Es huschte davon. Eine Ratte, vermutete er. Und nicht die Einzige. Er hörte, wie sie herumrannten. Sie liefen über seine Beine.

Anscheinend hatten die Ratten Flöhe. Oder der letzte Pechvogel, der hier eingesperrt gewesen war, hatte einige seiner Flöhe zurückgelassen. Und es gab auch noch anderes Getier. Krabbelndes und Fliegendes. Mücken summten in seinen Ohren.

Plötzlich flammte ein blendend weißes Licht an der Decke auf. Jemand im Korridor hatte es eingeschaltet – aber nicht aus Freundlichkeit, sondern damit er den Dreck sehen konnte, in dem er lag. Erbrochenes in einer Ecke, vorwiegend grün, von Blutschlieren durchzogen. Die Ratten hatten sich dort versammelt. Sie erstarrten einen Augenblick, dann machten sie sich wieder über ihr Mahl her.

Als der Gefangene B sich an die gegenüberliegende Wand drückte, krabbelte eine Kakerlake unter seinem Fuß hervor. Sie lief davon, machte eine scharfe Kehrtwendung und verschwand unter der Tür. Ein Moskito kam ihm unvorsichtigerweise zu nahe. Er zerklatschte ihn an der Stirn.

Sein ganzer Körper juckte. Er befand sich im Reich der Insekten.

Und es war erbärmlich kalt.

In den Bäumen zu schlafen, war erbärmlich kalt.

Ursprünglich hatte er sich einen Baum gesucht, der von einer Schlingpflanze überzogen war, mit lauter kleinen Früchten, wie Perlen. Die Schlingpflanze wuchs vom Boden empor, wand sich um den Stamm und erstreckte sich bis zu den höchsten Ästen. Die kleinen Früchte waren reif. Fremant probierte eine, aber sie schmeckte abscheulich. Bei Anbruch der Dämmerung schimmerten die Früchte wie Tränen.

Er dachte, die Schlingpflanze sei ein Parasit und unterzog sich der Mühsal, die vielen Triebe aus den Ästen des Baumes zu reißen. Schließlich hatte er sie alle entfernt und zu einem großen Haufen neben dem Baum aufgeschichtet. Der Baum starb sofort ab. Bis zum nächsten Lichtaus war er so morsch, dass er umstürzte.

Eines Tages erwachte er bei Sonnenaufgang. Er zitterte. Als er von der groben Plattform herunterblickte, die er sich in einem Baum gebaut hatte, sah er, dass wilde Iris über Nacht den Boden überwuchert hatten, die soeben ihre Knospen öffneten und die ganze Gegend mit ihren lila-blauen Blüten färbten. In jeder offenen Blüte fand sich eine blau schimmernde Insektenlarve.

Er fragte sich zwar, ob die Blumen vielleicht ein Gift abgaben, wenn man sie berührte, kletterte aber dennoch hinunter und hockte sich, immer noch vor Kälte zitternd, in das Blütenmeer. Er lauschte mit angespannten Sinnen. Er spürte Vibrationen, die ihn umgaben. Eine Art Geräusch, beinahe so etwas wie Musik, drang auf ihn ein. Das mochten Insekten sein, die seinem Blick verborgen blieben. Die Pflanzen, die er für Iris gehalten hatte, vibrierten ebenfalls schwach. Ihre Blütenblätter waren hart und rieben sich sacht gegeneinander – Fremant vermutete, um Insekten zur Bestäubung anzulocken und die Engerlinge abzuschütteln.

Vielleicht ging ein Teil dieser kaum wahrnehmbaren Vibration auch vom seinem eigenen Körper aus. Die zusätzlichen drei Prozent Sauerstoff, die die Atmosphäre Stygias mehr enthielt als die der Erde, konnten seine Körperfunktionen beeinflussen. Er verbrannte die Nährstoffe schneller – brannte buchstäblich aus. Eine Art Endzeitstimmung legte sich über ihn.

Er richtete sich auf und stand knöcheltief in den zirpenden Blumen.

Staunen überkam ihn ob dieses seltsamen Planeten – Staunen und Furcht. Sie waren Fremde füreinander, dieser Planet und er.

Ähnliche Bedenken erschwerten seine Suche nach Nahrung: War diese oder jene Beere essbar oder giftig? Die einzige Frucht, die er kannte, war Muschelwurz, die hatte er gegessen, als Bellamia sich um ihn kümmerte. Er dachte liebevoll an die Frau und ihre fürsorgliche Art.

Als er die Hügel in der Nähe durchstreifte, gelangte er zu einer windgeschützten Schlucht. Darin stand ein merkwürdiges Objekt. Ein Hauptmast stützte ein spitz zulaufendes Lederzelt. Die Planen waren mit Symbolen bedeckt. Das Gebilde, das bestenfalls ein provisorischer Unterschlupf sein konnte, befand sich in einem erbärmlichen Zustand. Fremant betrachtete es geraume Zeit. Es erinnerte ihn an etwas, was ihm entfallen war. Schließlich trat er näher und zog eine der Planen zur Seite.

Ein fauliger Geruch, die Ausdünstung eines verrottenden Kadavers, schlug ihm entgegen. Auf dem Boden lag ein kleiner zweibeiniger Körper im fortgeschrittenen Stadium der Verwesung. Fliegende Wesen stiegen erbost von der Störung empor. Auf der Oberfläche des Leichnams und in den Körperöffnungen wimmelten Maden.

Er sah die Überreste eines Hundefroinders, der allein gestorben war.

Er ließ die Plane fallen und wich zurück.

Der Hunger trieb in zurück nach Haven. Bellamia begrüßte ihn liebevoll und umarmte ihn. »Willkommen in meiner kleinen Höhle«, sagte sie. Später machte er sich Gedanken über ihre Wortwahl.

4

Fremant fand Arbeit in der Schmiede des Büchsenmachers, einem großen, teilnahmslos dreinblickenden Mann, dessen kleiner Sohn für die Blasebälge verantwortlich war. Die Bälge fachten das Feuer zu einer Temperatur an, bei der man die Metallteile bearbeiten konnte, die für die Fertigung primitiver Gewehre nötig waren. Fremants Aufgabe bestand darin, die hölzernen Kolben für die Gewehre anzufertigen. Sein Vorgänger war vor kurzem gestorben.

»Du musst dir Mühe geben«, sagte der Büchsenmacher, der Utrersin hieß. »Diese Kolben machen sich nicht von selbst.« Er hatte einen schmalen Schädel, eine schwarze Haarsträhne hing ihm in die Stirn wie ein Grasbüschel, das über den Rand einer Klippe wächst.

Sein Junge brachte Fremant höflich jeden Tag um die Mittagsstunde Brot und Fleisch.

Fremant mochte diesen Jungen, der Wellmod hieß. Er versuchte, Wellmod die Grundlagen der Prokosmologie zu lehren, indem er mit einem Stock Zeichnungen in die Asche des Feuers malte. Der Junge war wissbegierig.

»Hier ist das System, aus dem wir kommen, mit einer Sonne vom Typ G. Hier drüben ist eine andere Sonne Typ G. Dort sind wir jetzt. Die Entfernung dazwischen ist riesig. Wir sagen eintausendundachtzig Lichtjahre.«

»Was ist ein Lichtjahr?« wollte Wellmod wissen. Während Fremant es erklärte, gesellte sich der Büchsenmacher Utrersin zu ihnen und hörte zu.

Er wischte sich die Stirn ab. »Wie haben wir das nur geschafft? Ich habe mich für jahrelangen Kälteschlaf entschieden, wie sie es nannten, deswegen weiß ich nicht, wie alt ich bin. Höchstwahrscheinlich Jahrhunderte. Das ist schon verwirrend.«

Fremant versuchte zu erklären, dass niemand die Reise in einem Stück gemacht hatte. Die Hirnströme und DNS von vielen Menschen, Männern wie Frauen, waren in den so genannten Lebenswiederaufbereitungsspeichern gelagert worden. Viele Jahrhunderte hatte niemand auf dem Schiff gelebt. Dessen Hülle war leer und luftlos; nur die Computer und einige Androiden arbeiteten. Davon abgesehen reiste es ohne Atmosphäre nahe dem absoluten Nullpunkt durch den Raum. Das einzig Geräusch war das Flüstern der kybernetischen Apparaturen.

»Und was ist mit mir?« fragte Utrersin. »Zum Zeusel! Ich habe das alles schon früher gehört, aber ich habe es nie für möglich gehalten.«

»So war es aber. Es war so geplant. Fünf Jahre vor der Landung auf Stygia erwachte das Schiff und das LWS rekonstituierte die Menschen. Das war der PdR – der Prozess der Rekonstitution. Ein Computer gab uns nach einem Zufallsmuster Namen. Keine zwei Personen hatten zuvor eine Beziehung zueinander. Das gehörte zum Plan. Wir wurden einem Trainingsprogramm unterzogen, das uns körperlich wieder fit machte. Es gab auch ein Training der geistigen Gesundheit, und alle, die die Tests nicht bestanden, wurden eliminiert. Das LWS machte auch Fehler.«

Utrersin schüttelte langsam den Kopf. »Das alles … Ich dachte, das wären alles nur Alpträume, die ich immer wieder habe.«

»Wir haben alle unsere Alpträume.«

»Na ja. Meine sind besonders schlimm.«

»Wirklich schlimm war, wie schnell die Menschen in verschiedene Gruppierungen zerfielen. Atheisten, Technophobiker, religiöse Sekten und so weiter …«

Utrersin staunte. »Zum Zeusel, so wurden wir also für das Leben hier auf Stygia geschaffen … Kein Wunder, sind wir ein so merkwürdiger Haufen …«

»Ich kam nicht auf dem Schiff zur Welt«, sagte Wellmod fröhlich. »Dazu bin ich zu jung.«

»Zurück an die Arbeit«, sagte Utrersin. »Ich kann immer noch nicht recht glauben, was du da erzählst.«

Der Junge lief los und brachte Fremant ein Gelee aus goldenen Busken, das dieser mit Genuss verzehrte. »Ihr Kinder seid so wohlerzogen und artig«, sagte er.

Wellmod lächelte und nickte, ohne zu antworten.

Jeden Abend hielten der Dorfälteste Deselden und Essanits auf dem kleinen Dorfplatz eine Andacht ab, die alle besuchten. Ein Chor sang fromme Lieder, danach folgten Tanzdarbietungen. Die Lieder verstanden selbst die ungebildeten Bauern:

Die Samen, die wir in den Boden legen
Vermehren sich auf verschlung'nen Wegen
Und wachsen zu dem, was wir essen
Und Gott gibt dazu seinen Segen
Und wenn wir unser Leben lassen
Dann wird er uns nicht vergessen

Und eines Abends, nach der Zeremonie, trug man eine Bank herbei und fesselte einen Jungen mit ausgestreckten Armen darauf. Fremant sah zu seinem Erstaunen, dass es sich um Wellmod handelte. Der Junge erhielt zwölf Hiebe mit einer biegsamen Gerte.

Sie hatten Wellmod erwischt, wie er Buskengelee aus einem der Läden stahl. Nach der Auspeitschung führte seine Mutter ihn fort.

Jetzt begriff Fremant, warum die Kinder in Haven so artig waren. Sie fürchteten sich vor Strafe.

Als der Schleier wieder Lichtaus nach Haven brachte, entfachten sie ein Feuer auf dem kleinen Dorfplatz und sangen fromme Lieder. Der Dorfälteste Deselden predigte, dass der Schleier über ihnen lag, um Gottes Verachtung für sein Volk zu zeigen, und forderte sie auf, ihre Sünden zu bereuen.

Seit dem Streit zwischen Deselden und Essanits über die

rechte Lehre herrschte frostige Verstimmung zwischen ihnen. Essanits predigte immer noch am Rand der Siedlung, und einige hörten ihm zu. Er behauptete, dass Gott alle seine Kinder liebe und der Schleier ein Ausdruck seiner Trauer sei. Derweil ordnete der Älteste Deselden einen langen, traurigen Tanz um das Feuer an.

Nach der Zeremonie versuchte Fremant, mit Essanits zu reden. »Du verwirrst die Menschen, wenn du behauptest, dass der Schleier ein Zeichen deines Gottes ist. Der Schleier ist nur ein astronomisches Phänomen, wie die Sonne oder Stygia. Das sind physikalische Phänomene. Es gibt nur physikalische Gesetzmäßigkeiten.«

»Fremant, mein Sohn, es dauert mich, dass du Gott nicht in dein Herz lässt. Was glaubst du, wer macht die physikalischen Gesetze, wenn nicht Gott?«

Sie diskutierten eine Weile. Sowohl Ragundy wie auch Bellamia kamen und sagten Fremant, er solle den Mund halten. Essanits war geduldig, wenn auch herablassend, und schien bereit, bis in alle Ewigkeit zu reden. Er sagte: »Meine Freunde, klammert euch weiter an eure dummen Ansichten, wenn es denn sein muss. Gott wird auch die Sünder bei sich aufnehmen, die ihre Sünden bereuen. Ich habe Streit mit Deselden, daher werde ich Haven verlassen und nach Stygia City zurückkehren.«

Fremant äußerte sich höflich, aber bestimmt. »Es ist offenkundig, dass der Schleier und die sechs zerbrochenen Brüder Überreste einer kosmischen Kollision sind. Warum musst du Gott mit hineinziehen?«

Essanits sah finster zu Boden, bevor er antwortete.

»Denk dran, Gott ist in allem – selbst in deinem Unglauben. Denk dran, wie wir hierher kamen. Die lange Reise dauerte viele Jahre. Unser Transport erfolgte auf molekularer Ebene in den Speichern. Erst in den letzten zehn Jahren der Reise setzte uns das LWS aus den Bestandteilen zusammen. Viele Menschen konnten nicht richtig rekonstituiert werden und starben. Die Zeit forderte ihren Tribut.

In den Jahren vor unserer Landung auf Stygia herrschte großes Chaos. Viele Splittergruppen entstanden. Nicht nur die Waffen wurden zerstört. Auch ein großer Teil der Ausrüstung. Kapitän Calex konnte die Zerstörungen nicht verhindern. Ich hatte das große Glück, einen Datenträger zu retten, der mir die Allgegenwart des allmächtigen Gottes im Universum bewies.«

Seufzend erklärte Fremant, dass es keinen Beweis für die Existenz Gottes gäbe.

»Das stimmt nicht. Du und ich, Fremant, mit unseren unsterblichen Seelen sind der Beweis dafür.« Er stand auf, und damit war das Thema für ihn beendet.

»Ich werde in Stygia City gebraucht und habe viel zu tun. Mal sehen, wie es dem armen, ängstlichen Hazelmarr ergangen ist. Ich breche auf, solange der Schleier noch über uns steht.«

Ragundy fluchte. »Essanits, du bist ein Dummkopf. Du hast Hazelmarr laufen lassen, nachdem du ihm erzählt hast, dass wir hierher reiten. Er ist damit wahrscheinlich direkt zu dem Allmächtigen gegangen, um sich bei ihm einzuschmeicheln. Vermutlich bereitet sich Astaroths Armee in diesem Moment darauf vor, uns anzugreifen. Dich verschont man sicher, weil du Macht hast, aber uns wird man töten.«

»Unsinn!« rief Essanits. »Ihr Ungläubigen fürchtete euch ständig – vor Dingen, die nie eintreten werden.« Damit schritt er davon.

In dieser Nacht betranken sich Fremant und Ragundy. »Ich werde nie begreifen, warum Menschen so denken, wie sie denken«, beschwerte sich Fremant.

»Du bist nicht mit dem Schiff gekommen«, sagte Ragundy mit einer wegwerfenden Geste. »Du bist eine übernationale – wie heißt das? – eine übernatürliche Erscheinung.«

»Ich bin so real wie du. Soll ich es dir beweisen?«

»Warum die Mühe?« meinte sein Freund. »Wir sollten uns um unser Handeln sorgen – nicht ums Denken.« Er trank noch einen Schluck.

Schließlich fielen beide in einen unruhigen Schlaf.

Er arbeitete im Laden eines Hemdenmachers. Ohne Zweifel. Die Luft war klamm und trüb. Hemden hingen an der Leine wie riesige Vögel, einige rot, andere schwarz. Der Besitzer des Ladens war ein großer dicker Mann mit gewaltigen Koteletten und einem schwarzen Bart. Sein Kopf war kahl und blankpoliert, als wäre sein Haar heruntergerutscht und hätte sich unter dem Kinn festgesetzt.

Der Mann hielt ein Hemd hoch, aus dem noch Färbemittel tropfte, und sagte zu seinen Angestellten:

»Seht ihr dieses Hamt? Wir machen die Schöße zu lang. Macht sie von jetzt an hundertdreißig Millimeter kürzer. Dann mache ich mehr Profit mit jedem Hamt, das ich verkaufe.«

Fremant hörte sich sagen: »Aber die Waabiten stecken sich die Hemden in die Hosen. Wenn die Hemden jetzt kürzer geschnitten werden, bleiben sie nicht in den Hosen stecken.«

»Eine halbe Stunde schon.« Er zog eine große Uhr hervor, die er ticken ließ. »Nach einer halben Stunde haben diese dummen Käufer den Laden verlassen.« Die Menschen gingen bereits. Der ganze Laden veränderte sich.

»Aber Sir, die kaufen nie wieder eines von unseren Hemden!«

»Mangelnde Hamtentreue, willst du darauf hinaus? Wer hat je gehört, dass Leute ihren Hamten treu sind? Man kauft heute hier ein Hamt, und morgen ein anderes Hamt irgendwo anders. Hamtentreue ist für die Katz.« Diese Art Treue würde nicht lange halten. Es war verwirrend, dass in diesem Traum Hemden Hamten waren.

»Ich persönlich kaufe immer unsere Hemden.« Aber er sah gar keine.

»Vielleicht, vielleicht auch nicht, jedenfalls arbeitest du hier –

aber nicht mehr lange, wenn du mir weiterhin widersprichst. Damit das klar ist, ich bin hier der Boss.«

»Ich spreche nur in Ihrem Interesse, Boss.«

»Hör zu, wenn wir hundertdreißig Millimeter abschneiden, wie ich sage, begründen wir damit vielleicht eine neue Mode. Vielleicht will dann jeder unsere Hamten, die hundertdreißig Millimeter kürzer sind als ein normales Hamt. Vielleicht sieht es so besser aus. Vielleicht auch, weil es hygienischer ist. Außerdem brauchen wir dann einen Knopf pro Hamt weniger. Das macht summa summarum eine Ersparnis von ...« Er holte einen großen Taschenrechner heraus, zog ihn auf und tippte Zahlen ein. Die Zahlen fielen heraus und blieben auf dem Boden liegen. Fremant stieß sie mit dem Fuß zur Seite. Sie ergaben zusammen ein Wort, vielleicht »Astaroth«.

»Ich mache also einen Profit von zehn, vielleicht sogar elf Stigs pro Hamt. Wir verkaufen ungefähr hundert Hamten pro Woche, das sind – Moment – elfhundert Stigs. Ich könnte ja vielleicht eure Löhne anheben – wenigstens bei denen, die ich nicht entlassen habe.« Die aufgehängten Hemden bebten. Es schien, als würden sie lachen.

Aber jemand schüttelte ihn. »Steh auf!« sagte Ragundy. »Es gibt Ärger!«

Fremant rappelte sich stöhnend auf die Füße.

Das Fenster in dem Raum, in dem sie geschlafen hatten, ging nach Süden, in Richtung der Stadt Stygia. Was Fremant sofort ins Auge fiel, war der zerzauste Kopf von Utrersin, dem Büchsenmacher, der von außen an die Fensterscheibe geklopft hatte. Weiter entfernt und viel bedrohlicher war der sich nähernde Trupp Berittener. Sie galoppierten durch das Dämmerlicht, das der weiterziehende Schleier hinterlassen hatte. In dem trüben Licht war es unmöglich, Einzelheiten zu erkennen.

Ragundy blickte völlig entsetzt drein. »Das ist Astaroth, der kommt, um uns totzuschlagen, wie ich gesagt habe«, rief er. »Was sollen wir nur tun, Fremant?«

Fremant war genauso erschrocken. Ohne eine Antwort rannte er nach draußen zu Utrersin, der Wellmod fest an der Hand hielt.

Wellmod hatte das Auspeitschen offenbar unbeschadet überstanden. Er hüpfte auf und ab. »Ist das nicht aufregend?« meinte er.

»Über die Maßen.« Fremant starrte in die Ferne. Die Reiter waren nicht näher gekommen, obwohl sie in vollem Galopp ritten. Einige Männer trugen Fahnen. Es war unmöglich, die Zeichen auf den Fahnen zu erkennen. Die ganze Szenerie wirkte merkwürdig verwaschen, vielleicht, wie Fremant vermutete, ein Effekt des abziehenden Schleiers.

»Sie kommen, um dich zu holen«, sagte Utrersin mit einem Kichern. »Du bist dran.«

Fremant kniff die Augen zusammen und blickte ihnen entgegen. Er versuchte zu erkennen, was dort passierte. Die Gruppe aus Männern und Tieren blieb seltsam undeutlich. Und so scharf sie auch ritten, sie kamen nicht näher. Und er hörte auch keine Geräusche, keine Rufe, keine Hufschläge.

Er sah nervös zu Ragundy.

»Das sind … Mensch, das sind Geister!« rief Ragundy.

»Nein«, sagte Wellmod. »Das sind 'zinationen.«

Utrersin klopfte sich auf die Schenkel und brüllte vor Lachen. »Da haben wir dich aber erschreckt, was? Wie der Junge sagt, das sind 'zinationen. Noch einen Augenblick, dann sind sie weg. Du wirst sehen.«

»Ich könnte dich umbringen, du Mistkerl«, fluchte Ragundy. »Du hast mir wirklich Angst eingejagt.«

»Ich seh die gern«, sagte Wellmod. »Die sind lustig.«

»Du hast auch mal Angst davor gehabt, aber jetzt nicht mehr, oder?« meinte Utrersin.

»Ich seh mir die gern an. Erst kommen die, und dann kommen die nicht mehr.«

Noch während sie sprachen, begann die Kavallerie zu verblassen. Einen Moment später war die Gegend wieder leer, die angreifenden Männer verschwunden.

Fremant stieß seine Fäuste in die Taschen. Er starrte vor sich auf den Boden. Er konnte sich das nicht erklären.

»Das hat was mit dem Schleier zu tun«, sagte Utrersin. »Kein Grund zur Beunruhigung.«

»Nein, keineswegs«, sagte Wellmod. »Das sind die magischen Hunde, die sich im Tal rumtreiben.«

Als Fremant die erwartete Frage stellte, erklärte Wellmod, dass ein paar Hunde entkommen seien, als die Hundefroinder abgeschlachtet wurden. Magische Hunde. Sie erzeugten diese »'zinationen«, um die Leute zu erschrecken.

»Wie sollten Hunde so etwas können?« fragte Ragundy verächtlich.

»Woher soll ich das wissen? Ich bin doch kein Hund.«

Kein Hund, aber auch nicht wirklich ein Mensch. Der Satz verfolgte ihn in dieser Nacht in den Schlaf. Sie hatten ihn wie einen Hund verprügelt. Wieder kerkerten sie ihn in dem heruntergekommenen Gebäude ein, wieder verhörten und misshandelten sie ihn. Sie brachten ihn nach oben in einen anderen Raum, wo ein Gefangener gestorben war. Die Leiche blieb ein paar Tage unentdeckt; der Raum stank immer noch nach Tod und Verwesung.

Paul spürte, dass er mit seiner Kraft am Ende war. Als er sich in dem Raum umsah, bemerkte er hellere rechteckige Stellen auf der zerschlissenen Seidentapete, wo früher gerahmte Bilder hingen. Ein Bild, zweifellos Ursache für einen der helleren Flecken auf der Tapete, und einer der letzten Schätze vergangener Tage, lag im Müll in einer Ecke.

Der Gefangene nahm alle Energie zusammen und machte sich nach geraumer Zeit daran, das Bild zu betrachten. Schon von hinten erkannte er, dass es beschädigt war. Eine Seite des verzierten Goldrahmens fehlte. Als er das Gemälde anhob, um es umzudrehen, huschten zwei Ratten darunter hervor und verschwanden in einem naheliegenden Loch im Putz.

Die Leinwand war zerschnitten, ein Streifen hing herab. Dargestellt war eine dralle Frau mittleren Alters mit einer Schürze. Sie streckte die nackten Arme aus, um einen müden Arbeiter im Kittel willkommen zu heißen, der offenbar gerade von seinem Tagwerk nach Hause zurückkehrte. Ihr Häuschen hatte die Form eines mit Stroh gedeckten Bienenstocks. Hinter der männlichen Figur sah man eine Hügellandschaft mit adretten Bäumen und einer grasenden Schafherde.

Eine Abendstimmung. Hinter einem der Hügel war ein Kirchturm zu erkennen. Die Sonne ging gerade unter und warf einen goldenen Schimmer über die anheimelnde Landschaft.

Eine Vision frommer Friedfertigkeit, ein England, wie es in der Hoffnung des Malers einst gewesen war.

Der Gefangene betrachtete es mit offenem Mund. Er weinte hemmungslos.

Wenn er nicht arbeitete, nahm Fremant seine Wanderungen wieder auf. Es zog ihn zu der Gegend, wo er seiner Ansicht nach die Phantomkavallerie gesehen hatte. Manchmal kroch er auf allen Vieren und schnüffelte am Boden. Hier wuchs Salack. Neugierig studierte er die Pflanze und fand heraus, dass die kleine rote Blume nur zwei Tage blühte und jede Pflanze immer nur jeweils eine Blüte trug. Danach öffnete sich eine Knospe an der benachbarten Pflanze. So erblühte eine nach der anderen, bis die erste Pflanze wieder an der Reihe war. Beim Lichtaus gab es keine Blüten.

Fremant machte den Mangel an Bestäubern für dieses seltsame Verhalten verantwortlich. Die Blüten wurden von einem Insekt bestäubt, das eher ein Käfer als eine Biene zu sein schien und nur langsam flog. Beim Fliegen klickte es beinahe unhörbar.

Er drückte das Gesicht in die niedrig wachsenden Pflanzen,

lag fast ausgestreckt auf dem Boden und atmete das Aroma ein. In den süßlich-minzigen Geruch mischte sich eine pikant unangenehme Komponente, ein insgesamt fast sexueller Geruch. Er spürte die mystische Verbindung zwischen allem Leben und der Erde eines Planeten. Und doch erstreckte sich dieser Fleck mit Salack nur über ein kleines Stück, danach versiegte der Bewuchs. Genau wie nur wenige Bestäuber existierten, siedelten auch nur wenige Mikroorganismen in der Krume, die sie fruchtbar machten. Deshalb war das Leben hier wenig vielfältig und seltsam.

Ein leise schnatterndes Geräusch lenkte seine Aufmerksamkeit wieder auf die Umgebung.

Er lag immer noch am Boden; als er hochblickte, sah er ein Paar tiefliegende Augen, dunkle Nüstern und eine Anzahl kleiner, scharfer Zähne in einem aufgerissenen Kiefer.

Das Gesicht haarig und spitz. Beide Ohren am Hinterkopf aufmerksam aufgerichtet.

Fremant erstarrte. Es war eine Art Hund, wahrscheinlich feindselig, und er selbst befand sich in einer sehr angreifbaren Position.

»Guter Hund«, sagte er beinahe instinktiv. »Ich tu dir nichts.«

Der Hund bewegte die Kiefer, als würde er sprechen, wieder erklang das leise Geräusch. Gleichzeitig legte er den Kopf auf die Seite, als warte er auf Antwort.

Er versucht zu reden, dachte Fremant überrascht. Er bemühte sich, eine merkwürdige Sehstörung wegzublinzeln. Es war, als habe er plötzlich ein Glaukom entwickelt. Alles blieb verschwommen.

Zaghaft hob das Wesen ein Bein und legte eine Pfote auf die Schulter des Mannes. Fremant wollte rückwärts wegkrabbeln. Erst da bemerkte er, dass ein zweites dieser Wesen bei seinen Füßen stand. Es stieß etwas hervor, was wie ein Befehl klang. Fremant rührte sich nicht mehr.

»Und? Was hast du vor? Willst du mich angreifen?«

Er verstand das Tier nicht. Er starrte durch die Wolke in seinem Gesichtsfeld in das fremde Antlitz, ein Tier, und doch, in der Intensität des Blickes verwandt mit Mensch und Insekt. Er versuchte das Geschnatter auszublenden, es verwirrte ihn.

Langsam legte sich ein weißes Band vor seine Augen. Es bestand aus einem unbestimmbaren Material, formlos und flach, stumpf und matt. Während er zusah, wie es sich ausdehnte, schien ihm, als würden kleine Steine die Oberfläche ausbeulen, alle unglaublich weit entfernt voneinander entfernt.

Trotz seiner Verblüffung wusste er, er erlebte hier Synästhesie. Wenn dieses Hundewesen mit ihm zu kommunizieren suchte, konnte er die Stimuli, die ein Sinn empfing, nur über einen anderen Sinn wahrnehmen. Durch die völlige Inkompatibilität der Sinneswahrnehmungen wurde Klang in visuelle Signale umgesetzt. Es handelte sich um einen extremen Fall von Verfremdung.

Von einem xenophobischen Impuls geleitet, rappelte er sich auf die Knie und versetzte dem Hundewesen einen Schlag an den Kiefer. Es jaulte und floh. Sein Gefährte rannte mit ihm davon. Langsam verebbte die Illusion des unendlichen weißen Bandes in Fremants Verstand. Allmählich sah er wieder normal.

Von dem Augenblick an war sein Staunen angesichts dieses unerforschten Planeten größer als seine Angst davor.

Er konnte nicht aufhören, über sein Erlebnis zu reden, vor allem mit dem jungen Wellmod. Ragundy spottete über ihn. Utrersin kratzte sich nur am Kopf und sagte: »Wir wissen, was wir wissen. Wir tun, was wir tun.« Der junge Wellmod seufzte jedoch: »Diese Hunde haben etwas aus ihrer langen Insistenz – nein, ich meine Existenz – hier gewonnen.

Wenn wir nur ihre Sprache verstehen könnten, würden wir vielleicht was lernen.«

»Du sagst ›etwas gewonnen‹. Du meinst also, sie sind in gewisser Weise intelligent?«

»Es sei denn, sie haben dir so 'ne Art Traum projiziert. Dann haben sie nich intelli Gents, oder?«

»Nun, zumindest Intelligenz auf einer bestimmten Ebene. Aber trotzdem, es war nicht wie ein Traum. Jedenfalls nicht die Art von Träumen, die wir haben. Es war – wie heißt das Wort? – es blieb gleich. Andauernd. Nicht so, wie in einem Traum ...«

Utrersin sagte: »Es nützt nichts, immer weiter davon zu reden. Das bringt nichts.«

»Aber wir müssen das wissen«, sagte Fremant.

»Warum, wo das Ding doch abgehauen ist«, sagte Ragundy auf seine spöttische Art.

Fremant fuhr ihn an.

»Das ist wichtig, du Trottel! Wieso verstehst du das nicht? Das Wesen von diesem Planeten hat versucht, mit mir Kontakt aufzunehmen. Mit mir zu reden. Glaub ich jedenfalls. Wir sitzen auf diesem Planeten fest und wissen fast gar nichts über ihn. Er hat eine lange Vorgeschichte, er hat eine Biomasse – und wir wissen absolut nichts darüber. Was tun wir hier, außer herumspielen, indem wir uns gegenseitig bekämpfen? Wir sollten versuchen, uns mit dem Planeten, auf dem wir leben, zu arrangieren, und ihn zu verstehen.«

Ragundy grinste spöttisch. »Ach ja, du Klugscheißer! Deswegen hast du dem Tier auch eine geballert! Du bist auch nicht besser als wir.«

Fremant und Bellamia lebten sehr beengt in einem abgeteilten Raum, Ragundy in dem daneben. Sie hatten ein niedriges Dachkämmerchen über der Schmiede, wo auch Wellmod in einem winzigen Kabuff wohnte, das ihm Frereshin, der Besitzer des Gebäudes, überlassen hatte.

»Ich weiß gar nicht, warum du immer wieder über diese Vision redest«, sagte Bellamia bei ihrem einfachen Abendessen. »Die hatte vermutlich nichts mit diesem Hundewesen zu tun, gar nichts. Ich nehme an, du hattest eine Art Anfall. Du weißt schon, Schlaganfall oder Hirnschlag.«

»Unsinn, meine Liebe. Das war der Hund, ein Hundefroinder-Hund. Vielleicht ist er auch gar kein Hund gewesen.«

»Und was dann, wenn nicht ein Hund?«

»Das will ich herausfinden. Ich bedauere, dass ich ihn geschlagen habe. Ich war so erschrocken, ich schlug einfach zu.«

Sie fuchtelte mit einem Löffel vor seiner Nase. »Du weißt, dass Astaroth die ganzen Hundefroinder ausrotten ließ. Es gibt keine mehr. Das hast du offenbar vergessen.«

»Ja, ja … aber ein oder zwei der Hunde sind weggelaufen und entkommen.«

Bellamia hob entnervt die Arme: »Ach, du würdest einer Ackerratte noch die Hinterbeine wegdiskutieren!«

Schweigen breitete sich aus. Als er fertig war, stand Fremant auf, um den Tisch zu verlassen. Bellamia, die nachgedacht hatte, hob mahnend den Finger. »Ja, es müssen zwei Hunde sein! Diese galoppierenden Reiter, die wir gesehen haben. Da haben die Hunde wohl kom- … kom- – wie heißt das Wort, das du immer benutzt, Fremant, Liebster? – kompuniziert, einer mit dem anderen.«

Er war beeindruckt. »Du hast recht. Ja! Sie haben miteinander kommuniziert. Ihre Art von Sprache. Wenn wir doch nur verstehen könnten …«

Er legte sich auf seine Strohmatratze und schlief sofort ein. Er war in einer anderen Welt und wurde gefoltert. Jemand kroch über ihn.

»Komm schon, Free, Liebling, wach auf.« Sie drängte sich gegen ihn. »Du bräuchtest an beiden Enden einen Hund, wie man zwei Leute braucht, um ein langes Banner auszurollen. Mindestens zwei.«

Er spürte ihre Wärme und ihren Geruch. Er war nicht richtig wach. »Aber die Reiter …«

»Ich weiß nich. Vielleicht haben sie die aus deinem Kopf. Wenn sie schon solche geistigen Fähigkeiten haben?«

»Dieser verdammte Planet …« Er drehte sich auf die Seite, weg von ihr. Sie ergriff die Gelegenheit und noch mehr. Er reagierte augenblicklich.

»Dring in mich ein, ja?« flüsterte sie. »Ich bin noch nicht so alt, oder? Außerdem ist es dunkel, du siehst mich also gar nicht.« Sie roch immer noch nach Salack und etwas Aromatischerem.

»Dammaratz, Bellamia, lass mich in Ruhe. Ich bin müde.«

»Komm schon, raff dich auf, Liebling! Du bist doch ein Mann, oder? Was ist denn das, was du da hast? Mann, ich könnte ihn blasen! Nimm mich, bitte! Ich brauche es. Was kann es schon schaden?« Sie zog ihn zu sich und drückte ihm eine ihrer üppigen Brüste ins Gesicht, während sie sich an ihm rieb.

Er spürte, wie er auf sie reagierte. »Bevor ich mich schlagen lasse …«

»Ahhh, so ist es besser …« Sie spreizte die Beine. »Das ist eher wie … Ich hatte schon vergessen … ahhhh …«

Er gab seinen Instinkten nach und drang in sie ein.

Und so verging die Nacht, und das auf nicht unangenehme Weise.

Die Auswirkungen der Nacht stellten ihn jedoch vor Probleme. Als Fremant sich Bellamia bei Tageslicht ansah, erschien sie ihm alt und fett, und er fragte sich, warum es ihm mit ihr so sehr gefallen hatte. Er fühlte sich beschmutzt. Und doch … Er inhalierte ihren verlockenden Duft. Auch sie wirkte fast unmerklich verändert. Ihr Gesicht auf dem Kissen war verträumt und strahlte die Schönheit der Befriedigung aus.

»Ach du, meine sonnige Zuckerstange …« hauchte sie. Er liebte sie als menschliches Wesen. Er musste erst noch lernen, Nähe zu würdigen.

Er liebte Bellamia nicht nur, er wurde wegen dieser Lippen, die nicht sprechen konnten, diesem Mund ohne Zunge, der ihn mit seiner umarmenden Ekstase in einen Rausch der Gefühle versetzte, so etwas wie ihr Sklave. Kaum glitt seine Hand hinunter und berührte den brauen Pelz, übermannte ihn schon die Macht des heimlichen Lockstoffs aller Frauen, und die Erregung raubte ihm den Verstand.

In den darauffolgenden Tagen trug Bellamia ihr Haar anders. Sie ging leichtfüßiger. Sie hatte ein geheimnisvolles Lächeln auf den Lippen. Er wusste durch ihre Umarmung, wie fraulich sie war. Er spürte wieder die alles durchdringende Regenerationskraft der weiblichen Befriedigung. Sie hatte mit ihrem unablässigen Salackkauen aufgehört. Sie schlief ganz selbstverständlich in seinem Bett.

Sie hängte sich an ihn, auch wenn er es gar nicht wollte.

Er hielt sie auf Abstand. »Bei dir fühle ich mich wie ein Mensch, Liebling«, sagte Bellamia. »Vorher hab ich mich irgendwie nie wie ein Mensch gefühlt. Nie.«

»Sei nicht albern!«

»Kannst du nicht etwas Liebevolleres sagen, du armer Tropf?«

Er dachte, dass sie recht hatte. Er war ein armer Tropf.

»Ist Liebe eine Dummheit?« Sie gab ihm einen schmatzenden Kuss. »Dann ist Dummheit einfach grandios. Erzähl mir noch mal, wie es kam, dass wir auf dem Raumschiff waren. Ich weiß so wenig …«

Fremant bekannte, dass er mit den wissenschaftlichen Einzelheiten nicht vertraut war. Er sagte, das riesige Schiff, die *New Worlds,* sei mehr als tausend Jahre gereist, zuerst durch ein Wurmloch und dann weiter mit annähernd Lichtgeschwindigkeit. Die ganze Zeit war das Raumschiff leer, existierte kein menschliches Leben an Bord. Nur ein paar Androiden arbeiteten auf den Decks und erledigten die Instandhaltungsarbeiten.

Ein Vitaputer speicherte die DNS-Muster sehr vieler Menschen. Außerdem gab es etwas, das allgemein als Fleischbank bezeichnet wurde – Behälter, die eine Brühe aus Stammzellen, organischen Verbindungen, Proteinen und Fetten enthielten. In den letzten Jahren der langen Reise, als das Schiff beim Anflug auf die Sonne Stygias abbremste, wurden den Lebensbausteinen in den Fleischbänken individuelle DNS-Muster aufgedrückt. Der PdR erweckte sie dann rekonstituiert wieder zum Leben. So entstanden Menschen verschiedenen Alters komplett neu und wurden für die Landung auf dem neuen Planeten vorbereitet.

»Deswegen versteh ich nicht alles. Es war also schon richtig, dass ich mich nicht als Mensch gefühlt hab«, sagte Bellamia. »Oh, küss mich noch mal! Noch einen Kuss … Lass es so bleiben, für immer so bleiben …«

Er küsste sie. »Wir sind menschlich«, sagte er, als er sich zum Gehen wandte. »Das haben wir vom Planeten Erde mitgebracht. Nicht mitgebracht haben wir die verschiedenen Organisationen, das Netz aus Beziehungen, das zwischen Gruppen von Menschen und Nationen besteht.«

»Woher hast du dein Wissen? Es erklärt so vieles!« rief Bellamia hinter ihm her.

Er hätte sagen können, dass er mitgehört hatte, wie Astaroth darüber sprach, aber warum sollte er dem Mistkerl das zugestehen?

Er fragte sie, warum sie so häufig weg war. Er wollte sie in seiner Nähe haben. Bellamia sagte, sie arbeite für einen Mann, der Kleidung machte, einen Einsiedler, der über dem Töpferladen am Dorfplatz wohnte.

»Und was tust du da?« fragte Fremant mit einem Anflug von Eifersucht.

»Ich mache Kleider, was sonst?«

»Ach. Und was noch?«

Sie erzählte ihm, sie habe sich eine Technik ausgedacht, mit der man die Wolle der Ziegen- und Schafkreaturen zu einem Stoff verweben könne. Sie lächelte stolz, als sie es erklärte, aber er war nicht wirklich interessiert.

Während Fremant sich an den Gewehrkolben in der Schmiede abmühte und in der Hitze des Feuers schwitzte, loderte ein anderes Feuer in ihm, wenn er sich seine Intimitäten mit Bellamia ins Gedächtnis rief.

Wenn der Büchsenmacher diese unterschwelligen Veränderungen bemerkte, sagte er nichts dazu. Er war ein einfacher, verschlossener Mann – und dafür war Fremant dankbar.

Aber feindseligere Leute belauschten die neue Intimität und machten sich darüber lustig.

»Du vögelst die fette Kuh, was?« bemerkte Ragundy.

Fremant holte aus, um ihm einen Schlag ins Gesicht zu versetzen, doch Ragundy duckte sich weg und schlug zurück, streifte ihn aber nur. Fremant warf sich auf sein Gegenüber und drosch brutal auf ihn ein. Ragundy schlang seinen Arm um Fremants Hals, sie fielen kämpfend zu Boden, und prügelten knurrend aufeinander ein.

»Oh nein!« rief Bellamia. »Mein Liebling, du wirst dich verletzen!«

Sie waren draußen, auf hartem Boden. Utrersin kam mit einer Schüssel schmutzigen Wassers aus der Schmiede. Er goss es über den beiden Kampfhähnen aus.

»Hier wird sich nicht geprügelt! Steht auf, ihr beiden!«

Sie erhoben sich und kamen sich ziemlich albern vor.

»Du hast angefangen«, sagte Ragundy mit einem verdrossenen Blick auf seinen Gegner.

»Lass das«, sagte Utrersin scharf. Seine Augen funkelten unter dem herunterhängenden Haarschopf. »Verschwinde hier!« – zu Ragundy, der sich davonstahl. »Ich merke schon, wenn ich es mit einem Krawallbruder zu tun habe.«

Dann wandte er sich an Fremant. »Geh ins Haus, du Raufbold. Da kommt jemand. Ein Besucher.«

Er deutete in die Ferne.

Im fahlen Sonnenlicht sah man einen Reiter, vielleicht anderthalb Kilometer entfernt. Der Mann und das Pferd bewegten sich langsam einen Hang hinauf. Manchmal verschwanden die Gestalten hinter größeren Bäumen. Aber sie kamen voran und näherten sich stetig Haven.

»Hol ein Gewehr, lad es und halt dich bereit«, sagte Utrersin zu Fremant.

»Das ist nur ein Mann. Vielleicht es ist es wieder eines dieser Trugbilder.«

Der Schmied wiederholte seinen Befehl. »Hol ein Gewehr, lad es und halt dich bereit.«

Fremant tat wie ihm geheißen.

Bellamia hatte danebengestanden. »Eine Frau wird nie gebraucht. Das ist eine Männerwelt, fürchte ich, eine Männerwelt. Aber ich liebe dich so, mein lieber Free, du hast mein Leben verändert. Du wirst verletzt werden, das weiß ich, und das ist dann mein Tod. Das wird mein Tod sein!«

Er warf ihr einen liebevollen Blick zu. »Sei still, meine Geliebte. Alles wird gut.«

»Oh nein, nichts wird gut. Das ist ganz und gar nicht gut.«

Er sah über die Kimme des Gewehrs zu dem sich nähernden Reiter.

»Dammaratz«, rief er. »Das ist eine Frau.«

Bellamia hängte sich an seinen nackten Arm und krallte ihre Nägel in sein Fleisch. »Verdammt – sie kommt deinetwegen, du Weiberheld!« Sie hatte Tränen in den Augen.

Jetzt waren Reiterin und Tier auf ebenem Grund und kamen schneller voran. Es war kein Trugbild. Die Frau trug als Schutz vor dem Staub einen Schal über der unteren Gesichtshälfte. Fremant konnte sie nicht erkennen, hegte aber einen Verdacht, wer sie war. Er atmete heftiger. Eine Mischung aus Aufregung und Nervosität.

»Waffe runter«, sagte er zu Utrersin. Er schüttelte Bellamias

Griff ab und trat vor, um die Reiterin zu begrüßen. Bellamia stapfte davon und stieg die Stufen zu ihrem Zimmer hinauf.

Wie er vermutet hatte, war es Aster, Aster auf einem schwarzen Pferd. Sie erreichte Haven im Trab, dann stieg sie ab, tätschelte ihr Reittier und führte es am Zügel. Sie ergriff Fremants Hand.

Obwohl außer Atem, begann sie hastig zu reden und sah ihm dabei in die Augen. Schleier und Kapuze hatte sie abgelegt.

»Ich hoffe, du bist nur halb so froh, mich zu sehen, wie ich dich. Ich träumte eines Nachts, du wärst tot, und sah es als Omen. Ich fürchtete um unser beider Leben. Alles ging schief.«

»Aster, warum bist du hier?«

Sie ging nicht auf die Frage ein. »In der Stadt steht es schlimm und wird jeden Tag schlimmer«, sagte sie. »Bestimmt kommt es zu einem Aufstand. Die Verstohlenen, verschiedene andere Gruppierungen ... Ameethira ist tot. Das sprach sich herum. Astaroth hat sie in einem Tobsuchtsanfall erschlagen. Ich wurde eingesperrt. Eine der Wachen verhalf mir zur Flucht ...«

»Ganz ruhig!« sagte Fremant. »Du bist erschöpft, Aster. Komm rein und setz dich. Wellmod kümmert sich um dein Reittier.«

Jetzt kam auch Bellamia wieder die Stufen herab. Sie trug ein buntes Tuch um die Schultern.

Aster musterte Fremant genauer und hob angeekelt die Hände.

»Du bist krank. Und schmutzig. Was ist mit dir passiert?«

»Achte nicht darauf. Ich hab mich geprügelt.«

Sie hob die Arme. »Immer Gewalt ... Der Wächter war jung und freundlich. Ich gab mich ihm hin. Als ich herausfand, dass Ameethira tot war, weinte ich immerzu. Soweit ich weiß, war sie vielleicht wirklich meine Mutter ...«

Aster nahm Fremants Arm, während sie weiterplapperte, und machte Anstalten, mit ihm ins Haus zu gehen. Aber Bellamia umklammerte ihren anderen Arm und hielt sie auf. Das Gesicht der älteren Frau war bleich. Sie baute sich vor dem Neuankömmling auf.

»Du kannst nicht herkommen und ihn dir nehmen«, sagte sie. »Wir kommen aus unterschiedlichen Generationen, aber ich erhebe Anspruch auf diesen Mann. Er bedeutet mir viel. Das sollte dir klar sein.«

Aster war eingeschüchtert, wie es beabsichtigt war – nicht zuletzt von dem bunten, gewebten Kleidungsstück, das Bellamia trug. Sie hatte es selbst aus der Wolle von Ziegen gewebt und gefärbt.

»Aber …« setzte Aster an.

»He, wartet …« begann Fremant.

Aber Bellamia sprach schon weiter: »Haven ist ein trostloser Ort. Wir von der älteren Generation, die noch in den Fabriken des Schiffes gemacht wurden – PdR, so hieß das doch? – wir haben keine Angehörigen. Wir sind alt und einsam. Keine Familie. Keine Blutsverwandten – keine Schwestern, Mütter, Töchter, Brüder oder Väter. Keine Eltern, stell dir das vor! Also klammern wir uns wie an einen Strohhalm an das … an den, den wir lieben. Du kannst nicht einfach hierher kommen und ihn mir wegnehmen!«

Sie blickte Fremant an, um zu sehen, ob er ihr beipflichtete. Er rührte sich nicht.

Erschöpft wandte Aster sich ihr zu. Sie sprach ohne Groll. »Lass dir gesagt sein, Frau – es gibt nicht viel – wie heißt das Wort? Man verspürt oft Schmerz, wenn man Verwandte hat. Einen Vater wie meinen wünscht man niemandem. Er hat mein Leben zerstört. Deswegen brauche ich Fremant – so brutal er mir gegenüber früher auch gewesen ist.«

»Zum Zeusel!« rief Fremant. »Müssen wir uns denn immer streiten? Was ist los? Könnt ihr beiden Frauen nicht einfach Freundinnen sein? Die Qualen des Lebens – die Qualen –« Ihm fehlten die Worte.

»Über dem Töpferladen ist eine Kammer, wo du schlafen

kannst«, sagte Bellamia zu Aster. »Dort bist du sicher. Der Töpfer taugt als Mann nicht viel.«

In der Zwischenzeit waren die Wolken dichter geworden. Heftiger Regen setzte ein.

»Kommt rein, alle!« bellte Utrersin. »Wenn ihr draußen bleibt, ersauft ihr noch.«

Aster wusch sich und ruhte dann aus. Schließlich, als sie etwas Brot und einen Bissen Fleisch zu sich genommen hatte, erzählte sie von den jüngsten Ereignissen in Stygia City. Fremant und Bellamia saßen bei ihr und hörten zu, während Utrersin und Wellmod rastlos im Hintergrund hantierten.

Zuerst sprach Aster vom Aufstand der Verstohlenen unter Habander. Im Schutz des Lichtaus rotteten sie sich vor der Zentrale zusammen, töteten zwei Wachen und steckten das Gebäude in Brand. Der neue Anführer der Verstohlenen – Habander war abgesetzt worden – stürmte mit einer Abteilung Männer das Gebäude. Seine Männer waren mit Schwertern bewaffnet. Sie trafen auf Widerstand; im Treppenhaus und im oberen Stock setzte ein verzweifelter Kampf ein. Der Anführer wurde schwer verletzt, bevor sie die Verteidiger niederringen konnten. Astaroth floh derweil über eine Hintertreppe aus dem brennenden Gebäude. Seither ist er verschwunden. Die Suche nach ihm dauerte an, als Aster entkam und nach Haven floh.

Essanits übernahm das Kommando und versuchte, die Ordnung wiederherzustellen, als Aster die Stadt verließ.

»Du weißt ja, dass ich nicht viel von den Verstohlenen halte«, sagte Fremant. »Wieso sind sie so entschlossen vorgegangen?«

»Oh, das habe ich ganz vergessen«, sagte Aster und klatschte in die Hände. »Das Wichtigste überhaupt. Eine Botschaft kam mit einer Lichtdrohne von der Erde. Es scheint, dass die Lage sich dort endlich gebessert hat. Ich meine, wahrscheinlich ist es da nicht mehr so böse, glaube ich. Die Regierung der Erde hat – wie hieß das? – sie hat die Politik der WAA *verworfen*. Das ist die Philosophie, die dort so lange vorherrschte.«

Fremant lauschte interessiert, während er Asters Körpersprache beobachtete. Sie sprach hastig und fuchtelte ständig mit den Händen. Diese Hände durchschnitten nutzlos die Luft vor ihr, setzten keine Akzente, erläuterten nichts. Nervöses Getue. Ihr flatterhaftes Gefühlsleben, dachte er im Stillen.

Aster fuhr fort. »Laut dieser Botschaft hat die Regierung der Erde jetzt die Ausrottung der Hundefroinder auf Stygia für illegal erklärt. Nicht rechtens. Es heißt, das sei – wie hieß das Wort, das benutzt wurde? Genom? Genuss? – nein, jetzt habe ich es: Genozid.« Die Hände flatterten wie gefangene Tauben. »Unter Astaroth – meinem Vater, wie ihr ja wisst –, unter ihm wurde der Genozid begangen. Darum sollte er verhaftet werden. Aber er ist verschwunden. Verschwunden. Niemand weiß, wo er …«

»Wie konnte eine Botschaft von der Erde hierher kommen?« meinte Utrersin, der Büchsenmacher. »Das ist alles Schwindel.«

»Stimmt, vielleicht war es eine Fälschung. Warum wurde sie an die Verstohlenen geschickt?« fragte Aster.

Fremant bemerkte: »Erinnert ihr euch an Kapitän Calex auf dem Schiff? Ein guter Mann. Manchen haben behauptet, er war ein Cyborg oder Android. Er wollte, dass Stygia ein friedlicher und glücklicher Planet wird – nicht dieses Jammertal, das daraus geworden ist. So schlimm wie die Erde …«

Die anderen diskutieren eine Weile die neue Wendung der Ereignisse.

»Das könnte für uns alle bessere Zeiten bedeuten«, sagte Bellamia.

»Und Essanits hat jetzt das Kommando? Essanits war der Anführer, der die letzen Hundefroinder niedermetzeln ließ. Warum steht er nicht unter Arrest – er und seine Männer?« fragte Fremant.

»Wenn sich die Lage seit meiner Abreise nicht verändert hat«, sagte Aster, »hat man Essanits begnadigt, weil er sehr fromm wurde. Er beichtete seine Sünden und schwor, er gibt den Rest – nein, er macht Rest – Restitution.«

Utrersin schaltete sich ein. »Was bedeutet das Wort? Ich habe es noch nie gehört. Werden dadurch die ganzen Hundefroinder, die wir umgebracht haben, wieder lebendig?«

Es sprach sich bald in Haven herum, dass das strenge Regime in Stygia City zusammengebrochen war. Wenn Essanits das Kommando hatte, würden sich die Bedingungen bestimmt überall verbessern. Man feierte. Frauen tanzten auf dem kleinen Dorfplatz, eine sang ein Freudenlied:

> Weint nicht mehr, Frauen, kein Grund mehr zur Klage
> Weint nicht mehr, Frauen, wir sehen bessere Tage

Liddley sang und tanzte nicht. Sie stand mit verschränkten Armen abseits. Fremant betrachtete sie mitleidig. Sie trug kein Kind an der Brust. Offenbar war das Baby mit dem starren, schrecklichen Grinsen, das er gesehen hatte, gestorben.

Ein Gerücht ging um, dass Essanits bald nach Haven zurückkehren würde; einige behaupteten sogar, er würde mehr Männer für die Feldarbeit mitbringen.

Der Dorfälteste Deselden erschien. Er ging in Begleitung zweier kräftiger junger Männer am Stock. Er hob die Stimme und unterbrach Tanz und Gesang.

»Schämt Euch, alle wie ihr da seid! Er gibt keinen Grund zur Freude. In der Stadt kam es zu Gewaltausbrüchen, gute Männer mussten sterben. Und jetzt hat Essanits das Kommando, wie wir hören. Ein schlimmer Mann ist weg, ein anderer hat seinen Platz eingenommen – das ist alles. Erinnert ihr euch nicht daran, dass Essanits, als er hier war, einen verderblichen Glauben gepredigt hat? Lasst uns hoffen und beten, dass er nie zurückkommt und uns in Frieden lässt! Geht zurück in eure Häuser, gute Leute.«

Und so wurde der übliche Tagesablauf wieder aufgenommen, eine Mühsal für viele, die sofort wieder auf die Felder gingen, den Rücken krumm machten und im Schweiße ihres Angesichts arbeiteten. Alte Männer starben. Babys schrien nach Nahrung. Der Regen prasselte herab. Die sechs zertrümmerten Brüder zogen über ihnen durch die Nacht, auf ein Ziel zu, das sie nie erreichten.

Fremant lag noch immer bei Bellamia. Er streichelte ihre glatte Haut und das grobe Gewebe ihres selbstgemachten Schals.

»Das erinnert mich an etwas.«

»An was könnte dich das erinnern?« fragte sie.

»Ich weiß nicht … Etwas, das wir verloren haben.«

Sie wollte davon nichts hören. »Sei dankbar für das, was du hast. Du hast mich.«

Ein Mann brachte den Schädel eines der Hundewesen mit ins Dorf. Er war mit dem Spaten darauf gestoßen, daneben lag ein anderer, nicht so gut erhaltener Schädel.

Einige sahen sich die Schädel gelangweilt an, ohne jede Neugier. Andere gingen hinaus auf das Feld des Arbeiters und fanden einen regelrechten Friedhof voller Skelette der Hundewesen, die durch eine kürzliche Überschwemmung freigelegt worden waren. Überreste von Exoskeletten, hier und da mit schmalen, länglichen Löchern an den Seiten.

»Diese Hundefroinder hingen aber sehr an ihren alten Hunden«, sagte einer der Gaffer. Seine Bemerkung galt als äußerst tiefschürfend. Die Arbeit musste weitergehen. Es gab keine weiteren Nachforschungen. Die Skelette wurden zerschlagen.

Dann kam ein wunderlicher Tag, an dem man ein durchdringendes Summen hörte.

Niemand war scharf auf Neuerungen. Alle sahen furchtsam zum Himmel. Ein zerbrechlicher Vogel aus Leinwand, Seilen und Draht kreiste hoch über den Dächern von Haven und gab dieses kehlige Summen von sich.

Die Arbeiter auf den Feldern richteten sich auf und schauten nach oben. Staunend blickten Männer, die ihr Dorf nicht mehr verlassen hatten, seit sie von dem Schiff gekommen waren, in den Himmel. Kleine Jungen, die Ziegen hüteten, beschirmten ihre Augen und hoben die Blicke. Utrersin verließ seine Schmiede und sah auf.

»Das kann nicht gut sein«, murmelte er.

Der seltsame Apparat sank tiefer. So tief, dass man über den Lärm des Motors hinweg den Wind in den Drähten pfeifen hörte. Die Beobachter am Boden erkannten deutlich einen Mann, einen Piloten, der in der hölzernen Kanzel hockte, und Propeller vorn und hinten, die das Gefährt in der Luft antrieben. Jetzt war der Vogel fast am Boden, raste nicht mehr dahin, sondern schien fast zu zögern, bevor er auf einem Streifen ebener Erde aufsetzte. Dann rollte er noch etwas weiter, wurde langsamer, und die zuschauenden Jungen jubelten und liefen auf die seltsame Maschine zu – als sie auf einen größeren Stein traf und sich überschlug. Fast elegant drehten sich die Segeltuchflügel über den Rumpf hinweg, prallten auf den Boden und knickten zusammen, während der Schwanz und die Kanzel auseinanderbrachen und sich über das Feld verteilten.

Die Dorfbewohner schrien auf. Jetzt hatten auch sie eine Rolle in dem Drama und rannten zu dem Wrack, um herauszufinden, was mit dem Piloten passiert war.

Fremant gehörte zu denen, die den Mann im hohen Gras unter einem Stück zerfetzter Leinwand entdeckten. Er half, den Piloten aus den Trümmern zu bergen.

»Er ist tot!« rief jemand. Und »Er ist schwarz.« – jedoch in einem anderen Tonfall.

Sie brachten ihn zur nächsten Hütte und legten ihn andächtig in den Schatten unterhalb der Stufen. Kurz darauf seufzte er, rülpste und setzte sich auf. Die Frauen in der Menge applaudierten. Einige weinten.

Fremant erkannte den Piloten. »Das ist Chankey!« rief er. Chankey, der Gewinner des Kontest, bei dem Fremant als Schiedsrichter fungiert hatte. Die besorgte Menge brach in Jubel aus.

Jemand half Chankey auf die Füße. Eine Frau brachte ihm einen Tonbecher mit Wasser; er trank.

Als er sich endlich erholt hatte, erzählte der tapfere Chankey seine Geschichte. »Was für Auseinandersetzungen das doch waren ... es fing alles mit dieser Lichtdrohne von der Erde an ... Glücklicherweise erreichte Safelkty sie als erster ... der Wissenschaftler ... sonst wäre sie zerstört worden ...« Chankey sprach keuchend und stützte sich an der Leiter einer der Hütten ab.

»Da haben wir aber was anderes gehört«, sagte Ragundy.

Chankey trank noch einen Schluck Wasser und schien sich noch mehr von der Bruchlandung zu erholen.

»Die Erde hat gesacht, die Ermordung von de Hundefroinder, die vor uns hier lebten, ist Gennozit. Das bedeutet vorsätzliche Vernichtung einer ganzen Rasse. Deswegen kam es zum Aufstand. Astaroths Regime gibt's nich mehr. Astaroth ist verschwunden. Essanits hat die Macht übernommen und Safelkty zu seinem Wissenschaftsminister ernannt.«

»Uns interessiert die Geschichte nicht«, sagte einer der Dorfbewohner. »Erzähl uns, was es mit diesem fliegenden Ding auf sich hat, mit dem du gekommen bist.«

»Und was ist mit Astaroth, meinem Vater?« rief Aster. »Weißt du etwas Neues von ihm?«

»Ich habe gehört, er soll den See überquert und Habander die Kehle durchgeschnitten haben, aber wer weiß das schon?« sagte Chankey achselzuckend.

»Dieser fliegende Apparat«, wiederholten einige Leute.

»Ja, das ist Safelktys erste Erfindung«, erklärte Chankey stolz. »Wir nennen es ein Schiebzieh. Ein Drehler vorn, einer hinten. Wir Menschen haben endlich die Luft besiegt.«

»Dafür bist du aber hart auf der Erde gelandet«, sagte Utrersin spöttisch.

»Ihr primitiven Leute hier habt kein ordentliches Land für eine Landung«, sagte Chankey. »Das Leben wird von jetzt an anders. Ich komme als Vorhut, aber bald werden Essanits und seine Leute hier sein, um zu euch zu sprechen. Safelkty hat Pläne, eine richtige Straße von Stygia City nach Haven zu bauen, mit pferdelosen – äh, Maschinen –, die darauf laufen sollen. Euer Leben wird sich ändern, das kann ich euch stolz verkünden!«

Diese Rede rief unterschiedliche Reaktionen bei den Zuhörern hervor. Gewiss gab es jene, die den Gedanken an Veränderungen begrüßten und lauthals jubelten. Die Mehrheit fürchtete jedoch, dass jede Veränderung zum Schlechten sein würde, dass sie zum Beispiel aus der Ferne und zu ihrem Nachteil regiert werden könnten, denn was wussten die in Stygia City, wie es in Haven aussah, und was kümmerte es sie?

Selbst diejenigen, die sich am lautesten über die Mühsal der Existenz in ihrem winzigen kleinen Dorf beschwert hatten, spürten plötzlich in ihrem Herzen die Verbundenheit mit ihrem Ort und machten ihrem Unmut Luft.

Veränderung! Maschinen, die durch die Luft flogen! Entsetzlich!

5

Gefängnisdirektor Algernon Gibbs – Algy für seine Feinde – saß allein in seinem Büro im Ministerium. Er hatte die Tür abgeschlossen, um nicht gestört zu werden. Düstere Aktenordner standen eingesperrt in den Regalen. Das einzige Fenster war vergittert und verriegelt. Er litt immer noch unter der Demütigung durch Abraham Ramsons Inspektion.

Als Teil seiner Musterung britischer Ministerien hatte Ramson ein Treffen mit Gibbs' Verhörbeamten anberaumt. Er beschwerte sich über so gut wie alles, vom armseligen Zustand des Gebäudes und dem amateurhaften Gebaren der Vernehmungsbeamten bis hin zum Mangel an Eis im Verpflegungsbereich. Ohne Gibbs beim Namen zu nennen, putzte er ihn vor seinen Untergebenen herunter. Gibbs brachte den Amerikaner noch zu der Stretchlimousine, die auf ihn wartete, dann zog er sich übelgelaunt in sein Büro zurück. Jetzt saß er dort und rieb sich die Stoppeln seines Dreitagesbartes.

Er rief seine Sekretärin herein. Agnes Sheer kam aus dem Nebenzimmer. Sie war hochgewachsen und elegant, in einem grauen Kostüm – und fünf Zentimeter größer als Gibbs, wofür er sie hasste.

Er warf ihr die Disk zu, die Ramson ihm bei ihrer eisigen Verabschiedung überreicht hatte.

»Abspielen«, sagte er.

Sheer schob die Disk in den Computer. Auf dem großen Monitor an der Wand erschien fast augenblicklich ein Bild. KOMPLEXE VERHÖRSTRATEGIEN stand da, darunter ABTEILUNG FEINDESBEFRAGUNG, und ein Adler.

Dann wurden eine Anzahl von Hilfsmitteln für Verhöre vorgestellt. Es gab Abbildungen mit kurzen Beschreibungen und zu jedem Artikel eine Bestellnummer.

»Ausschalten«, sagt Gibbs. Sheer schaltete die Präsentation ab.

»Wir sind finanziell so viel schlechter ausgestattet als die Amerikaner«, sagte Gibbs. »Das ist eine Schande. Wir sollen wir uns diesen Knüppel oder die elektrischen Schuhe leisten?«

»Vielleicht können wir sie über unseren chinesischen Lieferanten billiger beziehen«, schlug Sheer vor.

Er ignorierte die Bemerkung. »Wir könnten ein paar dieser Plakate besorgen. Die dürften die Moral untergraben.«

»Sofort?«

»Sofort.«

Als die Frau gegangen war, wandte sich Gibbs mit einem Seufzen dem Buch auf seinem Tisch zu. Er schlug Seite 131 auf.

Er nahm die Brille ab, polierte die Gläser, dann machte er sich wieder an die Lektüre von *Der Rattenfänger von Hament* von Paul Fadhill.

<<

Der nächste Halt auf dem Jahrmarkt galt dem Zelt der »Wunderwelt«. Zu diesem Zeitpunkt waren sowohl Harry Marigold wie auch Celina Celandine aufgrund ihres Alkoholgenusses schon gut – oder schlecht, je nach Sichtweise – drauf.

Im Zelt war es dunkel. Etwas glitzerte. Etwas kicherte. Das kichernde Etwas entpuppte sich als hexenhafte alte Dame mit Haube und in übermütiger Stimmung. Sie trippelte hin und konsequent auch wieder her. Sie verlangte, dass man sie für ihre Dienste mit Silber … nein, nicht entlohnen – *überhäufen* solle.

Als das erledigt war, wies sie das liebende Paar an, sich auf ein klappriges Sofa zu setzen. Zumindest klapperten die Beine. »Eine Märcheninsel für euch?« krächzte sie.

»Oh ja, bitte, Bali!« sagten beide wie aus einem Mund.

»Besser als Bali, meine Täubchen!«

»Was ist besser?«

»Ein Ort, wo alle zugedröhnt wie die Steine sind, hihihi.«

Sie schwenkte die knorrigen, alten Hände über ihnen und sang dabei in einer unbekannten Sprache:

»Obi aba hoka hanka hega abroga, dimki dimki dorma ge abiegel ga …«

Im nächsten Augenblick, schien es, standen die beiden an einem verwunschenen Ort. Er war ordentlich wie ein Landschaftsmodell, jeder Grashalm in Reih und Glied, grasende Rehe, turtelnde Tauben, ein weißer Pavillon neben einem ebensolchen Bach – ersterer wie Schnee, letzterer eher wie Milch –, der einen Hügel mit sanften Rundungen wie die Brüste einer Frau hinabfloss. Eine wunderbare, parkähnliche, von einem silbernen See begrenzte Landschaft.

»Da ist also unser Silber hin!« rief Harry.

»Pssst! Da kommt jemand.«

Und tatsächlich stürmte jemand auf sie zu – ein großer, grauer Mann. Celina hatte Angst.

»Oh, hallo! Sie haben hier ein wirklich schönes Plätzchen. Ich hoffe, wir sind nicht unbefugt eingedrungen, Sir?«

Der große Mann kam knirschend zum Stillstand. Er war ganz aus Stein, bis zu den steinernen Unterhosen und weiter. Sein Gesicht war so ausdrucksstark wie die der Figuren auf den Osterinseln, doch ohne deren differenzierte Mimik. Als er den Mund öffnete, um etwas zu sagen, drang Rauch heraus und man sah Flammen in seinem Rachen. Der Rauch bildete die Form eines gleichschenkligen Dreiecks, bevor er sich in der reinen Luft auflöste.

Er packte ihre Arme mit seinen groben Steinhänden und führte sie weg. Statt Wörtern stieß er Rauch aus, doch gibt es nichts Geistreiches, das man auf eine Reihe gleichschenkliger Dreiecke erwidern kann, hat man sich erst einmal über das Quadrat der Hypotenuse geeinigt.

Der Steinmensch brachte sie zum Steinmenschendorf, wo man sie freundlich aufnahm. Sie lebten mit einer Steinkatze in einem Steinhaus. Steingardinen vor den Fenstern. Sie schliefen in einem Steinbett. Sie saßen auf Steinstühlen an einem dreieckigen Steintisch.

Glücklicherweise war das Essen echt. Sie aßen, wie die Reichen in Hampstead, Teller voll Auberginen und Kalbsleber, mit Koriander bestreut, mit Basmati-Reis serviert und in Balsamico Essig getränkt, dazu Hummerkrabben als Beilage. Auf diese Gänge folgten *Crème brûlée* und Plumpudding mit Talgkruste und Schlagsahne.

Während sie so ihr Leben genossen, führten sie – so seltsam es auch scheinen mag – eine andere, parallele Existenz in einer anderen Welt, wo Harry Marigold in einer Apotheke arbeitete und Rezepte einlöste und Celina Celandine Oberbekleidung für einen angesagten Couturier entwarf, der in einer benachbarten Moschee wohnte.

Ihr Doppelleben verwirrte sie, und so trafen sie sich heimlich in einem Park, in dem es abgesehen vom Verkehr, der immerzu daran vorbeirauschte, ruhig war, und schmiedeten Fluchtpläne.

»Das ist metaphysisch«, sagte Celina. »Genauer gesagt, metafizzelnd wie eine Flasche frisch geöffnetes San Pellegrino.«

Harry stimmte ihr zu. »Es nützt auch nichts, meinen Chef um Rat zu fragen. Er ist ein Dünnbrettbohrer, obwohl er ein ganz dickes vor dem Kopf hat. Einer von denen, die Endorphine für eine Art Fisch halten.«

Sie lachten, während sie durch den Park schlenderten, in dem niemand ihre Witze belauschen oder verstehen konnte, selbst wenn er die Pointen verstand.

»Die verdammte Regierung ist auch zu nichts nutze«, sagte Celina.

Darauf Harry: »Wir müssten den Premierminister in die Luft sprengen. Das würde unsere Probleme lösen.«

»Ich sehe es vor mir«, sagte Celina lachend. »Fetzen von ihm über die ganze Downing Street verstreut.«

»Die danach nur noch Downer Street heißen würde ...«

Sie nahm seinen Arm. »Oder wir stecken den Arsch ins Loch.«

Er tätschelte ihre Kehrseite. »Dann schon lieber ins Loch im Arsch.«

>>

Algernon Gibbs fand diesen gequälten Wortwitz ermüdend. Seine Gedanken schweiften ab. Er zündete sich eine Zigarette an. Nur noch eine in der Packung. »Scheißjob ... viel zu laut ... und kaum Raum für eigene Kreativität ... Beförderung ... verdiene, dass man mich verdammt noch mal zum Ritter schlägt ... Könnte mir einen anderen, weniger stressigen Job besorgen ... Pferde trainieren oder so ... kastrieren ... Männer kastrieren ... muss aufhören, diese Schlaftabletten zu schlucken ... Transvestit werden ... von Männern bewundert ... meinen Namen ändern ... Celina. Nicht schlecht ... Celina Gibbs. Gibbs' Girl gibt's dir! ... richtig dicke Titten ...

Während seine Gedanken so dahinglitten, immer wiederkehrende Gedanken, hielt er mit der linken Hand die Zigarette hoch. Eine Filterzigarette. Die blasse, grausame rechte Hand öffnete derweil seine Hose, verschwand darin und spielte an dem herum, was sie fand. Was sie fand, gab Lebenszeichen von sich. Celina Gibbs … der Hammer von Harrow … wunderschön … schön, schöner …

Die rahmenlosen Brillengläser beschlugen, während sein Atem heftiger ging.

Die Wolkendecke wurde dichter. Ein kalter Wind wehte. Die Leute husteten und spuckten Schleim auf den ausgedörrten Boden.

Die Menge war unruhig. Die Leute wussten nicht, was sie tun sollten. Der ehrwürdige Älteste Deselden humpelte nach vorn. Er wurde geleitet von zwei jungen Männern mit Stöcken, die er als seine Adlaten bezeichnete. Einer seiner treuesten Anhänger, ein alter Mann namens Citrane, dessen Gesicht mit dem kurzen Bart an eine Ziege gemahnte, warf sich eilig auf Hände und Knie und bildete so einen Stuhl für den frommen Greis, der auf diesem menschlichen Hilfsmittel Platz nahm und sprach.

»Meister Chankey, Ihr seid wie ein Unheil aus heiterem Himmel gekommen. Wir wollen hier keine Unheilstifter. Unser Leben ist der Religion gewidmet. Wir wollen weder mit Essanits noch mit eurer Wissenschaft zu tun haben. Wir erinnern uns, dass Astaroth, was man ihm sonst auch zur Last legen mag, weise die meisten Spuren der so genannten Ticknologie zerstört hat, einschließlich aller metallenen Flugdinger, und nur das große Schiffsdings verschonte, das die Menschheit in diese Welt brachte. Wir wollen mit diesen Monstrositäten nicht wieder anfangen.«

Chankey antwortete taktvoll auf diese Rede.

»Ob es eine Sünde war, die Erde zu verlassen oder nicht, kann ich nicht sagen. Aber die asketische Einstellung unseres ehemaligen Anführers hat ihn verleitet, vieles zu zerstören, das uns nützlich gewesen wäre, um auf diesem Planeten zu überleben. Er widmete sein Leben Hass und Terror, indem er alle so genannten Hundefroinder ausrottete. Jetzt müssen wir versuchen, das Massenmördern zu sühnigen, indem wir das Gute wieder herstellen, das unser Leben erleichtert – und eures in Haven.«

Liddley trat mit ernstem Gesicht vor und wandte sich an beide.

»Na gut. Ihr Männer habt eure Meinung gesagt. Jetzt werde ich etwas sagen.«

»Halt den Mund«, rief Ragundy, aber Liddley fuhr ungerührt fort.

»Die Menschen in Haven darben. Sie sind es gewohnt zu darben, nur ein halbes Leben zu leben … Unsere Gewohnheiten und unsere Einstellung zum Leben haben sich so entwickelt, dass sie dem Rechnung tragen. Also sterben Kinder, verhungern alte Männer, schuften Frauen sich zu Tode. Es liegt an der Unterversnährung … Das ist unser Problem. Unterversnährung. Deswegen trinken wir das faulige Wasser aus unserem Brunnen und sterben daran. Wir sind zu ausgelaugigt, um unseren Brunnen sauber zu machen, dass müsst ihr euch mal vorstellen!

Dieses traurige Darbsein hat sich allmählich eingeschlichen. Deswegen sehen wir selbst gar nicht mehr, wie schrecklich das alles ist. Im Gegenteil, wir betrachten es als den natürlichen und angemessenen Lauf der Dinge.

Und jetzt kommst du daher und versprichst uns Maschinen! Dabei brauchen wir Dünger und Fallen, um die Dacoin-Plage in den Griff zu bekommen. Wir müssen gut leben können. Maschinen helfen uns dabei nicht.

So, ich habe meine Meinung gesagt, ob richtiglich oder falsch …« Sie trat zurück in die Menge, die beifällig oder protestierend murmelte.

»Falsch!« sagte Chankey kurz angebunden. »Wie sollen die Fallen und anderen Dinge, von denen du sprichst, denn hierher kommen, wenn nicht mit Maschinen?«

Fremant antwortete an Liddleys Stelle: »Wenn sie abstürzen, wie deine Maschine, hilft uns das nicht viel …«

Die beiden Adlaten gingen mit ihren Stöcken auf Liddley los

und tönten, dass es einer Frau nicht gestattet sei, in der Öffentlichkeit zu sprechen. Fremant warf sich dazwischen.

Einer der Stöcke kam genau auf ihn zu. Traf ihn an der Stirn. Er hörte jemanden aufschreien, als er zu Boden ging. Bellamia und Aster eilten ihm zu Hilfe. Liddley floh.

Er kühlte seinen pochenden Schädel auf den kalten Steinfliesen des Fußbodens. Irgendwie wusste er, dass es Winter war. Er trug nur leichte Bekleidung. Ihm tat alles weh und er stank. Das Ministerium hatte ihn doch nicht entlassen. Eine Kakerlake erschien und nahm ihn in Augenschein.

Enttäuschung und Ekel übermannten ihn. Eine weitere Persönlichkeit schälte sich aus ihm heraus, wie eine Spielkarte, die von einem Kartentisch fällt.

Er war mitten auf dem Ozean, und das große, von Delphinen wimmelnde Meer atmete meeresblau und unergründlich in seinem rastlosen Schlummer der Wellen. Dieses Mal war er ein Seemann namens Yargos. Er gehörte zu einer Mannschaft, die nur die Geräusche der See kannte, das Knarzen des hölzernen Schiffes, das die Meere befuhr, das Knarren der Taue und das Trommeln der vollen Segel über seinem Kopf.

Yargos trug einen Goldring im rechten Ohrläppchen. Er war stark, sein Körper kräftig. An morgen dachte er kaum. Er und seine Schiffskameraden waren eins, zusammengeschweißt durch die Einsamkeit ihrer Reise. Das mochte sich ändern, wenn sie einen Hafen erreichten, aber im Augenblick waren sie alle Gefährten im Kampf gegen die Elemente.

Bei Nacht banden sie das Ruder fest und schliefen, bis auf einen Mann, der Wache hielt.

Yargos wickelte sich in eine Decke und schlief am Bug. Er träumte von einem Sklaven mit brauner Haut im fernen Cymantta, einem Jungen mit einer Vorhaut wie dem Seidenstrumpf einer Frau.

Nachts veränderte sich der Ozean. Die mächtigen Wogen leuchteten. Abermillionen winziger Lebewesen strebten danach, sich zu vermehren, und verströmten dabei ein kaltes Licht.

Hoch über dem Mast, hoch über dem Ozean, erstrahlte ein Licht als Antwort, da Abermillionen entfernte Sonnen ihr unaufhörliches Signal sendeten.

Doch Yargos fand keinen dauerhaften Unterschlupf in Fremants Psyche. Er lebte monoton Tag für Tag, bis er auf Nimmerwiedersehen verschwand.

Er lauschte dem Klagen des abklingenden Windes. Nach einer Weile öffnete er das rechte Auge. Er hatte einen Schlag auf das linke bekommen, das sich nicht öffnen ließ.

Er sah ringsum den vertrauten, stickigen Raum, viel zu groß, um ihn als Zelle zu bezeichnen. An der Decke befanden sich ausladende Stuckverzierungen mit Putten. Auf einer Seite ein großer ausgedienter Kamin mit Putten. Er kannte diesen Raum nur zu gut. Er hatte schon vor geraumer Zeit begriffen, dass seine Folterer eine einst prächtige Villa für ihre Zwecke requiriert und umfunktioniert hatten, ein vor langer Zeit einmal reiches und wahrscheinlich auch achtbares Heim, wo Menschen – Familien – ihr Leben in aller Behaglichkeit geführt haben mochten. Eine Vorstellung, die sein eigenes Elend umso schlimmer machte.

Er lag ausgestreckt auf dem Fußboden, niedergedrückt von dem großen, leeren Raum um sich herum. Alle Arten von Insekten krabbelten über den Boden. Das Haus verrottete, eine kleine, verachtete Fauna übernahm das Kommando. Er sah zu, wie Ohrenkneifer hin und her wuselten, während sich die Asseln gemächlicher bewegten.

Der Gefangene bemerkte einen Tausendfüßler, der sich merkwürdig benahm, in Spalten krabbelte, wieder auftauchte, mit verkrümmten Körper im Kreis lief, gegen die Fußleisten stieß.

Als das Tier näher kam, bemerkte er, dass eine winzige rote Ameise sich fest in einen Fühler des Tausendfüßlers verbissen hatte. Panisch rannte der Tausendfüßler herum, aber es gelang ihm nicht seinen winzigen Angreifer abzuschütteln. In seiner Verzweiflung floh er unter einen aufgeplatztzten Streifen Putz, wo der Gefangene ihn aus den Augen verlor.

Er lag da und dachte über das arme Insekt in seiner Panik nach. Zwangsläufig würde es irgendwann erschöpft zusammenbrechen und sterben. Dann würde die unbarmherzige Ameise es davonschleppen und verzehren.

Der entsetzliche Schrecken des Lebens übermannte ihn.

Auch in dem verhältnismäßig zivilisierten England, das er gekannt hatte, existierte eine rote Ameise, die seinen Untergang einläutete.

Er wusste, dass er seit vielen Wochen, vielleicht sogar Monaten eingekerkert war, obwohl man ihm gesagt hatte, man würde ihn freilassen. Bisher war nichts passiert. Sie behaupteten, bestimmte Genehmigungen seien notwendig, ehe man ihn entlassen könne.

Erinnerungen und Reue bestimmten seine Gedanken. Damals, in den vermeintlich zivilisierteren Tagen, hatte er trotz seiner Herkunft zur britischen Gesellschaft gehören wollen, die er eigentlich verachtete. Er legte sich eine britische Identität zu, Paul Fadhill. Er umgab sich mit englischen Freunden und schrieb sogar etwas, das er für einen komischen englischen Gesellschaftsroman hielt, *Der Rattenfänger von Hament*.

Jetzt sah er, wie falsch diese Fassade gewesen war. Er hatte sich etwas vorgemacht. Vielleicht hatte ihn die unbewusste Erkenntnis dieser Lüge dazu verleitet, die paar Zeilen über die Ermordung des britischen Premierministers zu schreiben, für die er jetzt bestraft wurde.

Aber wer war er? Was war er? Wo war er? Sein Verstand kreiste um diese Fragen wie eine Ratte, die einen Leichnam erkundet, während sein Elend Tag um Tag andauerte.

Das lange Warten, unterbrochen durch Verhöre, bei denen es immer wieder um dasselbe ging, zermürbte allmählich seine Identität, wie auch die Identität das Gebäudes, in dem man ihn gefangen hielt, mehr und mehr verblasste. Er flüsterte sich, die Wange gegen das schmutzige Parkett gepresst, seinen Namen zu. »Ich bin Paul Fadhil Abbas Ali, Paul Fadhil Abbas Ali ...« Wieder und wieder.

Er verlor das Bewusstsein und sah das besorgte Gesicht von – wer war das noch? – die süße Celina? – Doris? – die treue Bellamia? – sie lebte auf dem Planeten, den er als Stygia kannte – das auf ihn herunterblickte. Er streckte ihr eine Hand entgegen, obwohl diese Hand kalt und schwer wie Stein war. Ganz langsam löste sich die Erscheinung auf, und er fand sich in schrecklicher Einsamkeit wieder.

Irgendwann später wurde die Tür zu dem Raum aufgerissen und zwei Wachen traten ein. Ohne viel Federlesen zerrten sie ihn auf die Füße. Er musste mit ihnen einen Korridor entlanggehen.

»Es gibt Neuigkeiten für dich«, sagte der jüngere der beiden Wachtposten.

Er gab keine Antwort. Er hatte Angst. Seine Kehle war trokken, er erstickte fast daran.

Er wurde in einen der Verhörräume gezerrt. Seit er das letzte Mal hier gewesen war, hatten sie den Raum umdekoriert. An einer Wand hing das vergrößerte Foto eines Mannes, der an einem durch seinen Rücken gebohrten Haken aufgehängt war. Der Kopf war nicht vollkommen vom Körper abgetrennt, sondern baumelte, von einem Fetzen Haut gehalten, vor der Brust. Er war nackt. Die Genitalien abgeschnitten.

Unter das Bild hatte jemand die Worte »Die Liebe findet einen Weg« gekritzelt.

Im Raum herrschte Dunkelheit, bis auf eine grelle Lampe, die Paul direkt in die Augen strahlte, als er an den Stuhl gefesselt worden war.

Er saß reglos, mit geschlossenen Augen da und wartete. Nach geraumer Zeit betrat ein Mann mit schweren Schuhen oder Stiefeln den Raum durch eine rückwärtige Tür. Er zog sich einen Stuhl heran und setzte sich, im Lichtschein der Lampe unsichtbar für Paul, auf die andere Seite des Tisches.

»Sie schon wieder«, sagte er. Und dann mit Sarkasmus in der nasalen Stimme: »Freut mich, Sie wiederzusehen.«

Paul reagierte nicht. Das war nicht Abraham Ramson. Abraham Ramson war längst wieder abgereist. Das hier war ein Untergebener, ein englischer Untergebener. Vielleicht ein jüngerer Mann, der in diesem schmutzigen Beruf noch Karriere machen wollte.

»Ein bisschen kalt heute, was?« In der Stimm lag Spott.

Wieder keine Antwort von Paul.

»Ich habe eine Neuigkeit für Sie, Ali. Was glauben Sie, welche?« Der Akzent hörte sich nach Cockney an, vielleicht Essex.

Er würgte ein »Weiß nicht« heraus.

»Red lauter!«

»Ich sagte: Weiß nicht.«

»Haut ihm 'n paar runter.«

Einer der Posten tat pflichtschuldig, wie ihm geheißen, und klatschte Pauls Kopf erst in die eine Richtung, dann in die andere.

»Okay. Aufwachen! Draußen ist ein wunderbarer Morgen.« Sein Lachen klang wie Bellen.

Paul hörte das Bellen, aber er sah nichts dahinter, keine menschliche Gestalt. Nur das Licht, das ihn blendete.

»Ich war schon beim ersten Spatzenfurz auf. Wie steht's mit Ihnen, Ali?« Noch ein Witz. »Also, wie lautet der Titel des Buchs, das Sie geschrieben haben?«

»Der Rattenfänger von Hament.«

»Wie lange haben Sie daran geschrieben?«

»Etwa ein Jahr.«

»Worum geht es?«

»Um das Leben in England. Und in einer Phantasiewelt. Eine Komödie.«

»Nein, durchaus nicht. Keine Komödie. Sie lügen. Es geht um diesen schwarzen Kerl, der mit einem weißen Mädchen verheiratet ist. Die Wachen hier mögen keine Lügner, richtig, Wachen?«

Er wurde geschlagen und getreten. Da er an den Stuhl gefesselt war, konnte er sich nicht wegducken.

»Sie haben also 'n Haufen Kohle mit Ihrem miesen Buch gemacht.«

»Nicht viel.«

»Was sagten Sie noch, ist Ihre Nationalität?«

»Ich bin Engländer. Sie haben meinen Pass. Darin steht, dass ich Engländer bin.«

»Und wie kommen Sie dann zu diesem merkwürdigen arabischen Namen?«

»Ich ... das ist der Name meines Vaters. Ich kann doch einen arabischen Namen haben und trotzdem Engländer sein.«

»Und wie kommt es dann, dass ihr Moslems versucht, unsere Kultur zu zerstören?«

Er hätte gern gefragt, was für eine Kultur dieser verachtenswerte Handlanger überhaupt besaß, wagte es aber nicht, weil er sich vor den Prügeln fürchtete, die zwangsläufig auf diese Bemerkung folgen würden.

»Nicht die Moslems. Nur ein paar Terroristen ...«

Doch als der Handlanger jetzt anfing, über dieses und jenes zu schwafeln, dachte er, dass viele Moslems den Fehler gemacht hatten, sich abzuschotten, die Unterschiede betonten, indem sie sich weiter anders kleideten, innerhalb ihrer Volksgruppe lebten und mit einem erschreckend niedrigen Bildungsstand so weiter existierten wie seit Generationen in ihren staubigen, abgeschiedenen Dörfern. Wenig hatte sich in zweitausend Jahren verändert. Im Gegensatz zu den Hindus, die sich erfolgreich in die britische Gesellschaft integriert hatten, hielten noch viele Männer, die er kannte, ihre Frauen, die kein Wort Englisch sprachen, zu Hause eingesperrt. Er hatte sich integriert, sich fälschlicherweise für einen Engländer gehalten; jetzt wurde er eines Besseren belehrt.

Und doch … trotz aller Vorurteile: Die Moslems hatten sicherlich recht, wenn sie das Verhalten vieler junger Engländer missbilligten: Komasaufen beider Geschlechter; junge Frauen, die sich kleideten, als seien sie jederzeit zu wahllosem Sex bereit. Die Zurschaustellung weiblicher Bauchnabel. Die Respektlosigkeit gegenüber Älteren.

Der Handlanger sagte gerade: »Hier ist noch 'ne gute Nachricht für dich. Rat mal, welche?«

Er antwortete nicht. Er wollte einfach nur sterben. Wieder diese kleine rote Ameise.

»Ich sagte, rat verdammt noch mal, welche?«

»Oh Gott, ich weiß nicht. Wurde meine Entlassung bewilligt?«

»Wirst du ungeduldig oder frech? Nein, besser. Dieses Vögelchen, mit dem du verheiratet warst, diese Doris …«

»Was ist mir ihr?«

»Tja, sie hatte wohl so was wie einen Herzanfall hier drin, was?«

»Geht es ihr gut?«

»Gut? Gut! Könnte man wohl so sagen, sie fing nämlich an zu zucken und kippte um.«

»Oh, ihr miesen, miesen Schweinehunde …«

»Es war schrecklich anzusehen. Wie sie sich eingeschissen hat. Krebsrot im Gesicht zappelte sie auf dem Boden. Wir haben so gelacht …«

»Oh. Oh. Oh.. Verflucht sollt ihr sein …«

»Bringt diesen Penner weg, Wachen. Vielleicht begreift er ja bald, wie komisch das ist.«

Die Wachen kicherten über die Bemerkung, banden den Gefangenen B los und schleppten ihn weg.

In seinem dunklen Raum lag er reglos und konnte in seinem Kummer nicht einmal weinen. Die entsetzliche, barbarische Ungerechtigkeit der Welt …

Die Zeit verging wie das Knarren eines Fußbodenbretts unter einem langsamen Schritt. Ein Mann, den sie »Doktor« nannten, kam in seine Zelle und stieß ihn mit dem Fuß an.

»Ali?«

Keine Antwort.

»Sie werden uns noch katatonisch, Mann, wenn Sie sich nicht bewegen …« Er holte eine Spritze hervor.

Eine Stimme ertönte wieder und wieder: *»Das ist eine psychotische Wahnvorstellung, das ist eine psychotische Wahnvorstellung, das ist eine psychotische Wahnvorstellung, das ist eine psychotische Wahnvorstellung«*, und so weiter.

Er konnte nicht erkennen, woher die Stimme kam.

»Ah, ich glaube, er kommt endlich wieder zu sich …« Eine Frauenstimme.

Sie flößte ihm eine bittere Medizin ein. Er verschluckte sich daran.

»Na also, ist doch schon besser, nicht wahr, Liebling?«

»Ich dachte, du wärst tot, Doris, meine Liebste.«

»Was faselst du da von einer Doris? Bellamia. Ich bin Bellamia. Wieso innerst du dich nich an mich?«

»Bellamia …«

Später setzte er sich auf. Sie stützte ihn mit ihrem weichen Körper. Das Atmen war eine Qual für ihn. Er genoss ihre Wärme.

»Ich nehme jetzt den Verband ab.«

»Oh Bellamia … ich danke dir … Das hier ist Stygia, oder? Ich bin wieder auf Stygia. Das ist mein Verstand …«

Er brach in Schluchzen aus. Er zog die Knie vor das Gesicht, während sein ganzer Körper von den Tränen geschüttelt wurde, die mit Macht aus ihm herausdrängten.

»Na also. Jetzt geht es dir besser.«

»Wie könnte es mir je besser gehen?«

Sie gab mütterlich tröstende Geräusche von sich, während sie ihm den Hinterkopf streichelte. »Das war ein ziemlich übler Schlag, den du da abbekommen hast. Diese ignoranten Schweine ... Jetzt müssen wir dich erst mal wieder auf die Beine bringen. Da ist jemand, der dich sehen will.«

Sie half ihm auf und führte ihn ans Fenster. Seine Lider verschwanden fast im Kopf, trotzdem sah er nichts. Erst allmählich bot sich seinen Augen ein trübes Bild. Er begriff nicht, was er sah. Er schien eine Reihe von abgerundeten Zähnen zu erkennen, die irgendwo zwischen Knochen steckten und aus einem widerlichen Nebel aufragten, der vom Boden aufstieg. Wo dieses schreckliche Trugbild herkam, konnte er nicht sagen.

Er starrte entsetzt darauf, während sein Körper immer noch von Schluchzern geschüttelt wurde.

Erst allmählich lichtete sich der Nebel, wurde der Anblick klarer. Die abgerundeten Zähne entpuppten sich als Helme von Soldaten, die Knochen als Stöcke, mit denen sie bewaffnet waren. Und diese Männer standen auf dem alten Dorfplatz in der Mitte von Haven und warteten offenbar auf Befehle.

Er stützte sich auf das Sims des niedrigen Fensters und seufzte erleichtert.

»Ach, Bellamia ...« sagte er. »Abnormität ... Wie ist das alles passiert? Warum?«

»Ruhig, ruhig, Liebling.«

Unglaubliche Dankbarkeit überwältigte ihn, weil sie sich so zärtlich um ihn kümmerte. Er legte einen Arm um sie und gab ihr einen Kuss auf die Wange.

Es dauerte einen halben Tag, bis er sich einigermaßen erholt hatte, dann brachte man ihn zu Essanits.

Essanits saß an einem groben Tisch und konzentrierte sich auf ein kleines insektenähnliches Tier. Das zierliche Wesen balancierte auf den gefalteten Hinterbeinen. Es hatte ein spitzes Gesicht, der Oberkörper war mit einem Panzer aus Chitin überzogen. Als Fremant eintrat, bekam es offenbar Angst und rollte sich halbwegs zu einer Kugel zusammen, sodass sich die einzelnen Segmente des Panzers deutlich abzeichneten. Essanits flüsterte ihm leise etwas zu, worauf es wieder seine normale Gestalt annahm.

Ohne die Augen von dem Wesen abzuwenden, in dem Fremant einen Dacoin erkannte, zog Essanits langsam einen Käfig von der Seite heran und stülpte ihn über den Dacoin – der darin von einer Seite auf die andere wuselte, um seiner Gefangenschaft zu entkommen.

Erst jetzt blickte Essanits auf. »Ich liebe dieses Wesen, wie Gott uns liebt«, sagte er ernst und sah Fremant mit düsterem Interesse an. »Es ist intelligent. Ich will nicht, dass es entkommt.«

»Wenn es dich auch lieben würde, würde es nicht versuchen, zu entkommen«, sagte Fremant.

Essanits langes, strenges Gesicht brachte so etwas wie ein Lächeln zustande, indem er die breiten, blassen Lippen zu den Wangen zog. »Was gibt dir das Recht, so etwas zu behaupten, Fremant?«

»Ich weiß, wie es ist, gefangen zu sein und gefoltert zu werden.«

Die Stimme seines Gegenübers sank um eine Oktave. »Ich will dieses arme wilde Ding doch nur zähmen. Stell dir vor, wir könnten die Dacoin lehren, an Gott zu glauben ... Dann hätten wir eine bessere Welt.«

Er zögerte, die breiten blassen Lippen leicht geöffnet, bevor er fortfuhr: »Wir haben die Möglichkeit, eine bessere Welt zu schaffen. Wie du vielleicht bemerkt hast, gibt es seit der Rekonstitution keine Nationalitäten mehr, die auf der Erde zu solchen Problemen geführt haben. Es gibt nur eine Nationalität, wenn man so will. Das ist gewiss etwas Positives.«

Er wischte das Thema beiseite und bedeutete Fremant, sich zu setzen.

»Vieles hat sich verändert, seit du dich in Haven niedergelassen hast, Fremant. Der arrogante Extremist Astaroth ist nicht mehr. Vernunft und Wissenschaft haben ihn und sein brutales Regime abgelöst.«

Fremant sah den Mann ihm gegenüber durchdringend an.

»Du meinst Safelkty? Das ist der Mann der Wissenschaft, oder? Auf dem Gebiet bist du nicht so gut. Ist das der Grund, warum du jetzt nicht mehr Anführer bist? Bist du deswegen hier?«

Essanits sah auf den Tisch hinab und seufzte. Dann hob er den Kopf, und sagte ausweichend: »Ich habe eine Aufgabe und hoffe, dass du mir zur Seite stehst.« Er erhob sich, ging zur Tür und rief Chankey und zwei weitere Männer herein. Diese beiden stellte er als Tragonn und Klarnort vor, kleine, stämmige, in Leder gekleidete Männer. Sie salutierten vor Essanits und lächelten nervös.

Essanits richtete seine Worte an die drei und Fremant: »Wir haben eine ehrenvolle Aufgabe vor uns. Wir machen eine Expedition in das Land Unreichbar, wo eine kleine Gruppe Hundefroinder überlebt haben soll. Wir müssen diese kleinen Hundefroinder zurück nach Stygia City bringen und ihnen ihren angestammten Platz zurückgeben. Wir müssen sie aufpäppeln und alles in unserer Macht Stehende tun, um sie für den Genozid zu entschädigen, der unter dem Regime Astaroths an ihnen begangen wurde und an dem ich zu meinem Bedauern ebenfalls Anteil hatte.«

»Diese Reise fordert Entbehrung und Härten«, sagte Chankey. »Das ist deine Chance, dich besser zu fühlen – deine Verbrechen zu sühnigen.«

»Ja, das steht uns bevor. Entbierung und Hirten.« Essanits Lippen schlossen sich fest über den Worten.

»Warum gehst du nicht allein?«

»Nur eine kleine Gruppe kann nach Unreichbar vordringen.«

Er sprach schroff. Er wandte sich an Fremant. »Da du eine gewisse Erfahrung darin hast, unbekanntes Gebiet zu durchqueren, sollst du uns begleiten. Du bist mir etwas schuldig. Ich würde mich freuen, wenn du diese Reise mitmachst – trotz der psychotischen Schübe, unter denen du leidest. Wir erwarten auch, dass dein Freund, Utrersin der Büchsenmacher, mit uns kommt.«

»Nein, ich gehe nicht mit auf diese wahnwitzige Reise«, sagte Utrersin, als Essanits und Fremant ihn darauf ansprachen. »Warum sollte ich? Im Gegensatz zu dir habe ich keinen dieser Hundefroinder umgebracht. Außerdem ist Unreichbar ganz schön weit weg. Ihr kommt nie dahin und wieder zurück. Ihr werdet sterben. Ihr könnt gehen, aber ich bleibe.«

Essanits runzelte die Stirn. »Du fühlst gewiss die moralische Verpflichtung, das Unrecht an den Hundefroindern wieder gut zu machen«, sagte er betont höflich.

»Nein, ich fühle keine moralische Pflichtung«, sagte Utrersin und schüttelte die üppigen Locken. »Vor nicht allzu langer Zeit sagte man mir, ich hätte die moralische Pflichtung, sie alle umzubringen. Soviel zu diesem Gerede. Nein, Boss, ich geh nicht für so 'ne Idee von zu Hause weg.«

Er schloss mit einem verächtlichen Schnauben, wie ein wieherndes Pferd – wie ein Spiegelbild des Ansinnens, das er ablehnte.

»Aber ich begleite euch, ob mit oder ohne Entbärung und Harten.« Die Worte drangen aus dem dämmerigen hinteren Teil des Ladens, wo Bellamia stand. Sie trat vor. »Essanits, ihr braucht eine Frau. Frauen besitzen gesunden Menschenverstand und Instinkt – mehr als Männer. Eure Expetition ist dumm, weil niemand dabei ist, der diese armen kleinen Hundefroinder pflegt. Wer eignet sich besser für so was, als 'ne Frau – 'n Weibsbild, das ordentlich zupacken kann, so wie ich?«

Mit gerunzelter Stirn fragte Essanits, ob sie ein Pferd reiten könne.

»So gut wie du auch!«

Essanits warf Fremant einen Blick zu, seufzte und nickte. »Wir brechen morgen auf.«

Kleine schnelle Wolkenfetzen zogen an dem grauen Morgen unter einer geschlossenen Wolkendecke dahin. Männer und Pferde warfen keine Schatten. Obwohl es noch sehr früh war, hatten sich eine Menge Einwohner Havens eingefunden, um den Aufbruch der kleinen Expedition zu verfolgen.

Essanits saß auf seinem alten schwarzen Hengst Hengriss und wartete schweigend, als die anderen eintrafen. Chankey, Tragonn und Klarnort waren bewaffnet und hatten Schlafsäcke auf den Rücken geschnallt, was sie aussehen ließ, als litten sie unter einer merkwürdigen Missbildung. Fremant hatte sich eines von Utrersins Gewehren angeeignet, war aber ansonsten unbelastet. Bellamia hatte eine Kiste mit Küchenutensilien hinter ihren Sattel geschnallt.

Zu diesen sechs Reittieren kamen noch drei weitere. Zwei waren Packpferde, die Zeltplanen, Lebensmittel, Futter für die Tiere und andere Gebrauchsgüter trugen, das dritte ritt Wellmod, der für die Packpferde verantwortlich war – Wellmod, der jetzt in der Pubertät und aufsässig gegen Utrersin war. Die Pferde hatten Höcker, in denen ihre Tracheen endeten. Hinter den Packpferden folgte eine Reihe junger, hintereinander gefesselter Ziegen, mit denen die Fleischversorgung während der langen Reise garantiert blieb.

Diese Ziegen produzierten eine Art Milch und Käse, deswegen hatten sie den Namen »Ziegen« bekommen, obwohl sie eher einer sehr groß geratenen Kreuzung zwischen einem Käfer und einer Spinne glichen. Jede Kreatur war lang genug für zehn dünne Beinchen. Sechs dieser Ziegen hatte man zusammengetrieben und aneinandergebunden.

Mehrere Leute warteten mit Ratschlägen für Essanits auf, die er beiläufig zur Kenntnis nahm. Als Reaktion darauf schürzte er die breiten Lippen, lächelte aber nicht. Liddley kam und wollte Fremant und Bellamia überzeugen, Haven nicht zu verlassen. Fremant schüttelte betrübt den Kopf. Er beugte sich aus dem Sattel und schüttelte ihr zum Abschied die Hand.

Der Älteste Deselden sah aus einiger Entfernung und offenkundig zufrieden zu, wie Essanits den Ort verließ, sagte aber nichts.

Auf Essanits Signal hin setzte sich die Gruppe im Gänsemarsch in Bewegung. Ein blasser Sonnenstrahl fiel über den Hügel, als wollte er ihnen für ihre Reise Mut machen.

Die ersten ein oder zwei Kilometer folgten sie einem Pfad und ritten zwischen Feldern mit Rydabien, Pfeffergerste und anderen Nutzpflanzen hindurch. Vereinzelt standen Männer und Frauen wie Vogelscheuchen am Weg. Sie waren mit Stökken bewaffnet und bewachten die Felder vor den räuberischen Dacoin.

Sie hatten fast die Hügelkuppe erreicht, als eine dieser menschlichen Vogelscheuchen auf die Gruppe zukam. Eine Frau in zerlumpten Kleidern. Sie entpuppte sich als Aster, die ihre gewohnte Kapuze vom Kopf zog, als sie Fremant in die Zügel griff. Sie zerrte an dem Geschirr wie bei einem nervösen Anfall, aber sie sprach mit leiser Stimme.

»Fremant, ich bitte dich um nichts. Ich weiß, dass du ein herzloser Schuft bist. Ich weiß, ich bedeute dir nichts. Ich weiß, du bist ein Mörder und Vergewaltiger. Trotzdem bitte ich dich, flehe ich dich an, nimm mich mit, wohin du auch gehst. Ich muss dieser Sklaverei entkommen.«

Er stieg nicht ab. Er fragte sie, was sie mit Sklaverei meinte.

»Dammaratz, hast du nicht davon gehört? Kümmert es dich nicht? Ich wurde auf dem Markt an diesen Bauern verkauft, den Sohn von Citrane – und alles nur deinetwegen! Nimm mich mit! Ich erniedrige mich vor dir. Ich halte euch nicht auf, ich mache keinen Ärger, ich wechsle nicht einmal ein Wort mit dieser Schlampe, auf die du so scharf bist. Ich bitte dich nur …«

Bei diesen Worten trieb Bellamia ihr Pferd vorwärts und schlug mit einem Stock nach Aster. »Aus dem Weg, du kleine Unruhestifterin! Stirb lieber hier, statt dich uns aufzudrängen!«

Der Schlag traf Aster am erhobenen Unterarm. Sie kreischte und schwenkte die Arme über dem Kopf. Fremant hielt Bellamia zurück und sprach zu Aster: »Du hast keine Ansprüche auf mich. Ich bedauere das Unrecht, dass ich dir angetan habe, aber dies ist eine militärische Expedition. Du kannst nicht mitkommen!«

Wie zur Bekräftigung dieser Worte rief Essanits mahnend, nicht zurückzufallen.

Als Fremant seinem Reittier die Sporen gab, klammerte sich Aster an sein Bein und schrie, während sie, halb von dem Pferd mitgezerrt, neben ihm herlief. Es versuchte, sie abzuschütteln, und versetzte ihr schließlich einen Schlag an den Schädel. Sie ließ los. Sie stolperte zurück, fiel und blieb auf dem Boden liegen, während sie klagend hinter ihnen her rief. Bellamia ritt an ihr vorbei und zeigte ihr den erhobenen Finger.

Der Zug erreichte die Kuppe, ritt darüber hinweg und verschwand aus Asters Blickfeld.

Sie ritten den ganzen Tag und hielten nur ein Mal an, um ungesäuertes Brot und eine Scheibe Insektenfleisch zu essen. Sie befanden sich jetzt in unbekanntem Gelände, in dem nie zuvor ein Mensch gewesen war. Bei Sonnenuntergang saßen sie ab und schlugen ihr Lager auf. Sie scharten sich um ein kleines Feuer und aßen, hatten aber nur wenig zu sagen, außer natürlich Essanits, der sich gewichtig über den göttlichen Plan ausließ, der sie viele Lichtjahre weit durch das All gebracht hatte, um Sein Wort auf Stygia zu verbreiten. Niemand stimmte ihm zu, niemand widersprach.

Fremant und Bellamia schliefen in dieser Nacht in der Nähe

der anderen, auch wenn er seine frühere Angewohnheit nicht vergessen hatte, aus Sicherheitsgründen während der Dunkelheit auf einen Baum zu klettern. Er lag neben ihrer üppigen schlafenden Gestalt und sah zum Himmel, wo die sechs Brüder einer nach dem anderen vorbeihasteten. Schwache Schatten folgten ihnen am Boden. Fremant, der über sein Verhalten gegenüber Aster nachdachte, wurde von anderen Schatten heimgesucht.

Als würden seine unruhigen Gedanken Bellamia in ihrem Schlaf stören, wachte sie auf und seufzte ausgiebig.

»Alles in Ordnung?«

»Ja. Ich habe nur nachgedacht.«

Sie schmiegte sich an ihn und sah zu dem großen Baldachin aus Sternen, die in scheinbarem Chaos über ihnen funkelten.

»Wo ist die Erde?« wollte sie wissen, »und wo das Sonnensystem?«

»Das weiß niemand. Irgendwo da oben …«

»Und hat diese Erde Gott gehört?«

»Das ist nur eine Legende. Entweder Gott oder dem Teufel …«

Zahllose Tage folgten, in denen sie stetig vorankamen. Zwei Tage bahnten sie sich einen Weg durch einen spärlichen Wald, dessen Bäume kaum höher waren als sie selbst. Alle Bäume schienen bemerkenswert gleichförmig, jeder mit einer ganz bestimmten Anzahl von Zweigen und sogar der gleichen Anzahl von Blättern, eine unheimliche Übereinstimmung. Bei den Bäumen, an denen sie vorbeikamen, verfärbten sich die Blätter augenblicklich von grün zu gelb zu braun, als hätten die Reisenden sie beleidigt, die so ungewollt eine Spur toter Blätter hinter sich ließen.

Der Wald lichtete sich. Sie reisten noch drei Tage weiter, und einen Teil der Zeit folgten sie einem flachen Fluss, in dem die Männer badeten und die Pferde tränkten. Die Gegend war kahl und felsig, vor ihnen ragten Berge auf. Als sie weiter vorankamen, fanden sie ein dichtes Feld Salack am Flussufer, danach wuchs das Kraut vereinzelt zwischen den Steinen am Ufer. Weiter vorn stürzte der Fluss in einem Wasserfall eine Klippe herunter.

Bellamia pflückte als erste einige Blätter und kaute sie.

»Lecker! Lecker! Extra stark!« rief sie aus. Kurz darauf kauten sie alle. Zunächst besserte es ihre Laune beträchtlich.

»Ah, ich könnte glatt den Berg da hochreiten und dann immer weiter und weiter«, rief Tragonn und stellte sich in den Steigbügeln auf. Einen Augenblick später war er vom Pferd gefallen.

»Wie glücklich dürfen wir uns preisen, hier zu sein, wo Jesus einst wandelte!« rief Essanits, der in der Mitte einer grünen Wiese saß und sein Pferd unbeaufsichtigt herumlaufen ließ. »Er fand keine Menschen vor, daher verließ er den Planeten wieder. Aber dieses gesegnete Kraut ließ er für uns zurück, damit es uns auf unserer Reise Trost spendet.«

»Da ist Jesus«, brüllte Wellmod und zeigte mit dem Finger. »Hallo, Jesus, hierher, komm zu uns!«

Keiner der anderen konnte Jesus sehen.

Sie hörten das Geräusch eines Wasserfalls. Sie folgten weiter dem Fluss und erreichten den Rand einer gewaltigen Klippe. In ihrer gestörten Wahrnehmung wirkte es, als hätte Jesus oder jemand, der so stark wie Jesus war, eine riesige Axt genommen und die Welt in zwei Teile gespalten. Das Wasser beschrieb einen Bogen und stürzte in die Tiefe. Es war unmöglich zu erkennen, wohin es stürzte, denn die gewaltige Gischtwolke verbarg alles, was sich unten befand. Ein Regenbogen spielte zwischen der Wolke aus zahllosen Wassertropfen.

Fremant und Bellamia lagen am Rand der Klippe, sahen hinunter und bestaunten das grandiose Schauspiel. Sie kauten, während sie hinunterblickten und die aufspritzenden Wassertropfen ihre Gesichter benetzten.

Tragonn und Klarnort hatten ebenfalls große Mengen Kraut

gekaut. Sie hatten sich nicht einmal die Mühe gemacht, es zu pflücken, sondern es abgegrast, wo es wuchs, die Gesichter dicht am Boden. Plötzlich, wie ein Mann, sprangen sie auf die Füße und schwangen sich auf ihre Pferde.

Sie trieben die armen Geschöpfe erbarmungslos an und sprengten auf den Wasserfall zu, wobei sie brüllten: »Jesus, Mensch! Wir kommen! Wir kommen!«

Sie galoppierten bis zum Klippenrand, trampelten fast Bellamia nieder, ritten ohne zu zögern weiter, stürzten sich in den tiefen Abgrund und mit dem Wasser in die Tiefe.

Fremant beobachtete es schockiert. Männer und Tiere wurden von dem alles verhüllenden Nebel verschlungen und verschwanden auf Nimmerwiedersehen. Der Regenbogeneffekt flackerte kurz, der große, endlose Orgasmus des Wassers setzte nicht einmal aus.

Krank vor Entsetzen rappelte er sich auf.

»Du und dein dummes Gerede von Jesus!« brüllte er ihrem Anführer entgegen.

Bellamia wollte ihn besänftigen. »Ich bin mit dem Kraut vertraut, deswegen bin ich immun dagegen, aber die anderen ...«

Essanits rührte sich nicht.

»Das ist Gottes Wille«, sagte er nur. Seine Stimme klang belegt.

»Ganz sicher nicht! Warum hast du sie nicht aufgehalten?«

Statt einer Antwort schwenkte Essanits einen Arm über dem Kopf, der Befehl weiterzureiten. Erst im dritten Versuch gelang es ihm, sich in den Sattel von Hengriss zu schwingen und das Tier in Bewegung zu setzen.

Die Kluft in der Welt markierte einen Wechsel in der Landschaft. Ebene und Tiefland lagen hinter ihnen. Der Weg wurde steiler und felsiger. Verwitterte Klippen ragten auf. Die an sich schon karge Vegetation wurde noch spärlicher. Sie ritten über verkarstetes Gestein. Die Hufe der Pferde wirbelten Staub auf, die Hufschläge hallten von den Felswänden zurück. Die Felsen zu beiden Seiten ragten steiler empor. Je höher sie kamen, desto heißer schien es. Der Abstand zwischen den einzelnen Reitern wurde größer. Wellmod und seine Ziegen fielen weit hinter den Rest der Gruppe zurück. Fremants war wie betäubt von dem schrecklichen Anblick der beiden Männer auf ihren Pferden, die in den Abgrund und den sicheren Tod galoppierten.

Schließlich ordnete Essanits eine Pause an einer Stelle an, wo Steinschlag eine geräumige Höhle bildete. Es war früher Nachmittag. Essanits saß auf dem ausdauernden schwarzen Hengriss, Chankey neben sich, und blickte zurück zu dem Pfad, über den sie gekommen waren.

Als die anderen langsam aufholten, wies er sie an, die Pferde bei den Felsen anzubinden, an deren Fuß hohes Gras wuchs, und in die Höhle zu gehen.

»Ach, Lichtaus steht bevor«, sagte Bellamia.

»Darauf hat Chankey mich hingewiesen«, sagte Essanits. »Wir sitzen es hier aus.« Als auch der Junge endlich aufgeholt hatte, rief er Wellmod zu, die Packpferde bei den anderen Pferden anzuleinen und die Ziegen in die Höhle zu treiben. Dort versammelten sich alle. Es war ziemlich unbequem.

Bellamia und Chankey fachten mit Hilfe trockenen Holzes ein Feuer an. Nach kurzer Zeit stand eine Menge Qualm in der Höhle, weil sie über dem Feuer eine Mahlzeit vorbereitete. Essanits setzte sich, ohne zu murren, schloss die Augen, behielt aber seinen ernsten Gesichtausdruck.

Als Fremant vom Tränken der Pferde hereinkam, wies Bellamia ihn an, ein Lager für sie im hinteren Teil der Höhle zu bereiten. Er blickte ins wenig einladende Dunkel, in das kaum der Lichtschein des Feuers drang.

»Wir wissen nicht, was da alles sein mag.«

»Stell dich nicht so an. Es wird kalt hier, sobald der Schleier über uns wegzieht. Da hinten ist es wärmer.«

Zögernd tat er, wie ihm geheißen. Sie kam zu ihm, als sie gegessen hatten.

»Jetzt bin ich heiß, Free. Fühl es! Jemand hat hier einen alten Sack zurückgelassen. Man kann sich bequem dagegen lehnen.«

»Ein Sack? Hier war noch nie jemand!«

»Was ist mit Essanits?« Sie senkte die Stimme. »Er ist vielleicht bei seinem Mordfeldzug hier vorbeigekommen, bevor er zu Gott und Jesus gefunden hat.«

Fremant tastete hinter sich. Tatsächlich lag da ein plumpes Etwas hinter ihnen, wie ein gutgestopfter Sack, mit Pelz bedeckt. Er piekste hinein, weil er befürchte, es könne etwas Lebendiges sein, aber das Ding rührte sich nicht.

Es war immer noch später Nachmittag. Die Hitze flimmerte in der Schlucht. Aber am östlichen Himmel zog der Schleier schon seine Bahn. Chankey trat aus der Höhle, blickte nach oben und bekreuzigte sich.

Wellmod fragte wahllos in die Runde: »Hat Jesus den Schleier nach da oben gesetzt, was meint ihr?«

»Vielleicht«, sagte Essanits, »weil er erkannte, dass sich die Hundefroinder nicht so verhalten haben, wie er es sich erhofft hatte.«

»Und was ist mit uns? Wir verhalten uns doch ganz ordentlich, oder? Warum schafft er ihn nicht wieder ab?«

Essanits antwortete nicht.

Allmählich zog sich der Himmel zu. Die große, schwarze Masse aus Staub und Trümmern schob sich zwischen Stygia und die Sonne. Nach kurzer Zeit herrschte kühles Dämmerlicht, wenig später kalte Nacht. Die Sonnenfinsternis beeindruckte alle und drückte auf ihr Gemüt. Sie drängten sich schweigend aneinander, während die Ziegen missmutig blökten.

Essanits sprach aus der Dunkelheit. »Wir müssen in den nächsten zwei Tagen so viel wie möglich schlafen und ausruhen. Bellamia, sorg dafür, dass die Ziegen uns mit ausreichend Milch und Käse versorgen.«

»Sie können keine Milch geben, wenn sie nicht fressen können, oder?«

»Tu, was du kannst.«

Es folgte eine lange Pause, bis Essanits wieder das Wort ergriff. »Ich will die Gelegenheit nutzen und euer Wissen mehren. Auch wenn ich gebildet bin und ihr nicht, glaube ich, dass ihr Wissen nützlich findet, nicht zuletzt weil wir auf der Suche nach einer außerirdischen Rasse sind.

Als der Tyrann Astaroth gestürzt worden war, fanden wir in seinem Quartier viele Unterlagen, die aus dem Schiff stammten – das, wie ihr euch erinnern werdet, *New Worlds* genannt wurde. Diese Unterlagen belegten die traurigen Verhältnisse auf der Erde, die zur Entwicklung und dem Start des Raumschiffs führten.

Der als ›Derwesten‹ bekannte Teil der Welt war die technologisch am weitesten entwickelte Region, und das schon seit einigen Jahrhunderten. Dort lebten die Menschen im Allgemeinen sehr gut. Sie hatten Sanitäranlagen in den Häusern, Lebensmittel in den Regalen, und Glaubensfreiheit. Man respektierte Wissenschaft und Künste – oder tat wenigstens so. Es war der lebenswerteste Teil der Welt.

Ein Grund dafür war der größtenteils fruchtbare Boden – anders als auf diesem Planeten –, und dass die Bewohner die Künste der Bewässerung und des Ackerbaus beherrschten, die hier vergessen oder nicht praktikabel sind …

Es gab jedoch andere Gebiete als Derwesten. Sie bekämpften oder imitierten Derwesten und wurden so immer mächtiger. Im Osten existierte eine große, bemerkenswerte Zivilisation, deren Wurzeln Jahrhunderte weiter zurückreichten als die der Nationen, aus denen Derwesten bestand. Sie erlebte häufig Umstürze, war aber nicht kriegerisch und wurde mit zunehmendem Wohlstand Derwesten immer ähnlicher, da sie viele westliche Werte übernahm. Die Leute dort waren intelligent, ihre sozialen Systeme intakt.

Ein dritter Sektor lag zwischen diesen beiden Sektoren, dem Osten und Derwesten. Dieser Sektor war tief gespalten und wurde im Großen und Ganzen von Despoten regiert und durch Korruption ruiniert. Hunger, Unterdrückung von Frauen, Folter und Krankheiten – all das war dort an der Tagesordnung. Eine Religion, die einst Güte predigte, verkam zu einem Glaubenssystem, dass auf Rache und Hass basierte – und der Zorn richtete sich in erster Linie gegen Derwesten. Extreme Armut vieler ging Hand in Hand mit extremem Reichtum einiger weniger. Diese Elemente begannen in ihrer Ruchlosigkeit einen Generalangriff gegen Derwesten – Brüder im Himmel!«

Sein Monolog wurde gewaltsam unterbrochen.

Im hinteren Teil der Höhle war ein großes, schwarzes, pelziges Ding plötzlich aus einer Art Katalepsie erwacht und stürmte auf den Eingang der Höhle zu, wobei es in seiner Hast, ins Freie zu gelangen, zuerst mit Fremant und dann mit Essanits zusammenstieß. Die Ziegen gerieten in Panik.

Chankey riss ein Holzscheit aus dem Feuer und wollte das Wesen angreifen. In seiner Hast war das Ding gegen die Felswand gegenüber gelaufen und benommen zu Boden gegangen. Chankey stürzte sich darauf und stach mit dem Messer darauf ein.

»Verschon das arme Geschöpf«, befahl Essanits. »Es hat uns nichts getan.«

»Ich werde ihm was tun! Mir so einen Schrecken einzujagen!«

Das Wesen starb unter dem Messer und sonderte dabei eine dickliche Flüssigkeit ab, die nach Buttersäure roch, dem Bestandteil, der für den Gestank von menschlichem Erbrochenem verantwortlich ist.

Als der Schrecken nachließ, kamen die Reisenden heraus, um sich das Wesen anzusehen, das zuckend vor ihnen lag.

Der Körper bestand aus sechs Segmenten, aus denen jeweils zwei eher kärglich wirkende Beine wuchsen, die jetzt in letzten Zuckungen die Luft durchpeitschten. Jedes Segment war mit feinen Härchen überzogen, bis auf das letzte, das als Gesicht diente. Hier saßen vier Facettenaugen. Im Licht der Fackeln glommen sie auch dann noch in schillernden Farben, als die Kreatur schließlich zu zucken aufhörte.

»Da ist kein Mund!« rief Fremant.

»Das muss ein – wie heißt das noch? – Du weißt schon …« Bellamia suchte nach Worten. »Nicht so was wie ein – was? – na, die endgültige Form.«

»Du meinst eine Larve«, sagte Essanits kalt. Und wurde in diesem Moment von einem anderen dieser Wesen umgerannt, das aus der Höhle kam, dicht gefolgt von einem weiteren. Beide gaben laut summende Geräusche von sich, als sich die mutmaßlichen Beine als Flügel entpuppten, die sie in die Luft katapultierten. Sie hatten mehr Glück als das erste Wesen und prallten nicht gegen die Felswand. Stattdessen kreisten sie mehrmals mit laut surrenden Geräuschen, was die Pferde in Panik versetzte, dann flogen sie in die Nacht davon.

Wellmod klammerte sie an Fremants Arm. »Ich geh da nicht wieder rein!«

»Warte hier, wir sehen nach, ob noch mehr rauskommen. Sie überwintern hier offenbar bis zum Lichtaus. Das ist das Signal für sie, sich … ich weiß nicht … vielleicht, sich zu verwandeln …«

»Sie scheinen harmlos zu sein«, sagte Essanits.

»Abgesehen von dem ekligen Gestank«, sagte Chankey. Seine Fackel war fast heruntergebrannt. Sie standen unschlüssig in der Dunkelheit. Wellmod ging die Pferde beruhigen. Keine weiteren Kreaturen kamen aus der Höhle, deswegen gingen sie vorsichtig wieder hinein und fachten erneut das Feuer an.

»Ich werde mit dem fortfahren, was ich euch vorhin erzählt

habe«, hob Essanits an, als sie alle wieder Platz genommen hatten. »Hört genau zu. Daraus lässt sich etwas lernen.

Derwesten hatte in seiner Blütezeit eine Politik des *laissez-faire* gepflegt. Man nahm viele Menschen aus anderen Teilen der Welt freundlich auf und gab ihnen die Möglichkeit, ein besseres Leben zu führen. Das schwächte schließlich die soziale Ordnung. Die Einheit ging verloren, die Freiheiten wurden eingeschränkt, andere politische Meinungen unterdrückt.

Viele aus dem mittleren Sektor waren friedlich. Aber einige standen der kristlichen Kultur von Derwesten feindlich gegenüber. Als es ihnen schließlich gelang, sich zu organisieren – mit Hilfe eben der Kommunikationsmittel, die Derwesten entwickelt hatte –, fügten sie den Strukturen von Derwesten schweren Schaden zu. Und je schwächer die Infrastruktur wurde, desto restriktiver wurden die Regierungen – in einigen Fällen sogar totalitär. So erreichten die Terroristen ihr Ziel. Natürlich machte Derwesten auch Fehler. Zum Beispiel den, in einige Länder des Feindes einzufallen. Jahr für Jahr wurde er angreifbarer.«

Das Publikum in der Höhle hörte ihm in unterschiedlichen Abstufungen von Langeweile in Verbindung mit Verständnislosigkeit zu.

»Die gewaltige *New Worlds* wurde als letzter Versuch konstruiert, die Werte von Derwesten zu erhalten. Man suchte Freiwillige sorgfältig aus, bevor sie in winzige Teile zerlegt und in die computergesteuerten Eingeweide des Schiffes verbracht wurden.

Am Tag, nachdem die Hauptstadt von Derwesten durch eine Wasserstoffbombe vernichtet wurde, startete die *New Worlds* auf ihrem vorprogrammierten Kurs zu dieser fernen Welt, die wir Stygia nennen. Diese wissenschaftliche Meisterleistung konnte keiner der relativ rückständigen Terroristenstaaten nachahmen. Die westlichen Werte würden auf Stygia sicher sein.«

Das anschließende Schweigen betonte die Dunkelheit und Abgeschiedenheit ihrer Situation.

»Was ist mit Astaroth?« fragte Fremant schließlich. »Hatte er westliche Werte?«

Nach einer Pause sagte Essanits, dass Astaroth »asketisch« war – ein positiver westlicher Wert. Bedauerlicherweise besaß er aber auch negative Eigenschaften, wie eine obsessive Machtgier.

Niemand sagte mehr etwas.

Als er in der Dunkelheit lag, dachte er, *ich bin Paul Fadhil Abbas Ali. Warum bin ich nicht glücklich?*

Die Kälte, die künstliche Nacht, wurde intensiver.

6

Jemand fragte Fremant: »Warum haben Sie das geschrieben?«

Er antwortete, dass es nur eine Zeile war. Die über den Premierminister.

»Eine Zeile kann ein Zeichen sein, oder?«

»Nicht in dem Fall … Sie hatten versprochen, mich frei zu lassen.«

»Es gab einen Vorfall. Welchen Premierminister meinen Sie in Ihrem Scheißbuch? Den aktuellen?«

»Keinen speziellen Premierminister.«

»Aber Sie wussten, dass das eine Aufforderung an Terroristen ist, den jetzigen Premierminister zu ermorden?«

»Das wusste ich nicht.«

»Wie ist Ihre Frau in all das hineingeraten?«

»In was?«

»IN ALL DAS, SIE AAS!«

»Sie hatte damit nichts zu tun.«

»Sie lügen schon wieder, wie immer, Sie beschissener kleiner Wurm. Sie hat Sie doch geheiratet, oder?«

»Nein. Ich meine, ja, wir waren verheiratet, aber sie hat kein Wort meines Buches geschrieben.«

»Ja? Sie hat doch die Rechtschreibung korrigiert, oder?«

»Ja.« Der Schlag seitlich an den Kiefer warf ihn von dem Hocker, auf dem er saß. Er lag auf dem Boden und dachte, er würde sich nie wieder regen können.

»Stehen Sie auf, Sie Dreckskerl. Liegen Sie nicht so rum.«

Er stand auf. Das Verhör ging weiter.

Es dauerte noch eine Stunde. Danach wurde er in die Dunkelheit geworfen, wo er unter Schmerzen lag. Die Kakerlake kam ihn besuchen. Fliegen summten um seine Ohren.

Er dachte: *Ich bin, wer ich bin. Warum fühle ich mich nicht elend? Warum fühle ich so wenig?*

Seine Gefühle waren durcheinander und unklar. Wenigstens wusste er, dass er die Briten jetzt hasste, die Nation, die er einst so bewundert hatte. Sein Onkel war Anwalt gewesen, als sie noch in Uganda lebten. Er hatte viel englische Literatur gelesen und eine Vorliebe für Werke wie De Quinceys *Bekenntnisse eines englischen Opiumessers* mit der kunstvoll manierierten Sprache, oder das gelehrte und absonderliche *Die Anatomie der Melancholie* von Richard Burton.

Abends, wenn sich die Familie zum Essen versammelte, erzählte sein Onkel von diesen Büchern, und manchmal las er die schönsten Passagen laut vor.

Einige dieser Bücher hatten seinen Vater bei der Flucht nach England begleitet und wurden seine eigene erste Lektüre. Erst später begriff er, dass er darin ein verarmtes, aber würdevolles England kennengelernt hatte, das nicht mehr existierte. Eine Woge des Materialismus hatte England überrollt. Eine abscheuliche Vergnügungssucht herrschte vor, häufig in Form von Krawallen bei Fußballspielen, Komasaufen, Gewalt auf offener Straße, Erbrechen und Urinieren auf Bürgersteige und sporadischem Rassismus. Es gab kein – oder fast kein – spirituelles Erbe mehr. *Der Untergang des römischen Imperiums* wiederholte sich – im Kleinen …

Er sehnte sich nach kulturellen Werten. Es drängte ihn, das schäbige England zu verlassen, das ihn gefangen hielt. Aber wo sollte er Zuflucht suchen? In den USA? Zu gewaltig … Gewiss nicht im Mittleren Osten, wo eine durch die strenge Auslegung des Korans geprägte geistige Starre herrschte. Nicht in einem dieser hinterwäldlerischen kleinen Dörfer in Saudi-Arabien oder dem Irak … Blieb Indonesien mit seiner gefürchteten Militärregierung. Und Malaysia, wo die Zustände zwar einigermaßen erträglich, seiner zurückhaltenden Natur aber fremd waren. Indien? Zu verwirrend. China? Doch das China, das er bewunderte, hatte sich in einen Riesen verwandelt, während England geschrumpft war. Er sehnte sich nach einem anderen Ort.

Lichtjahre entfernt …

Als die zweitägige Dunkelheit sich lichtete, als die verstreute Schwärze des Schleiers nach Westen gewandert war, kamen die Teilnehmer der Expedition aus ihrer Höhle und schlachteten eine der Ziegen, die sie über dem offenen Feuer brieten. Die Pferde hatten das ganze Gras an der Felswand abgeweidet und brauchten Bewegung. Also machten sich die Männer und Bellamia wieder auf den Weg, während sie noch das sehnige Ziegenfleisch kauten. Essanits ritt auf dem schwarzen Hengriss voraus.

Zwei Tage und Nächte reisten sie durch das ermüdende Felsgewirr. Schließlich gelangten sie an eine Stelle, wo eine vergleichsweise üppige Weide lockte und nur vereinzelt Felsen wie Monumente für etwas Totes aufragten. Der Boden war gewellt, als seien Wogen in der Bewegung erstarrt. Es war still, bis auf das Rascheln im Gras, in dem viele niedere Insekten ihr Leben fristeten.

Sie ließen die Pferde grasen und sahen sich um. Weiter vorn hörte der Grasbewuchs auf und ging in nackte Erde und Fels über. Man konnte in weite Ferne sehen, wo sich Kumuluswolken über dem Horizont auftürmten.

»Was für eine Mistgegend!« sagte Chankey. Er spuckte aus.

»Es ist nicht mehr weit«, sagte Essanits ermutigend. »Seid guten Mutes, Jungs.«

In dem Moment deutete Wellmod mit offenem Mund auf etwas.

Sie sahen hin. Ihre Augen wurden groß.

In einiger Entfernung, fast am Horizont, tauchte so etwas wie ein großes Segel auf. Diese gewaltige dreieckige Flosse war mit vielen Farben geschmückt, nicht strahlend, sondern matt, die fließend ineinander übergingen, sodass aus der Vielfalt eine Einheit wurde. Ein Muster entstand, das nahe der Spitze des Segels ein ovales, vage einem Auge ähnliches Objekt bildete.

Das Segel bewegte sich majestätisch, die Farben schienen sich langsam zu verändern. Seine Erhabenheit machte die Menschen sprachlos. Es war ein Bild unerreichbarer Schönheit.

Sinnliche Bilder gingen Fremant durch den Kopf. Er erinnerte sich vage, wie er nackt neben einer wunderschönen blassen Frau mit blondem Haar lag. Ein Name kam wie ein Flüstern – Doris. Dann verschwand der Gedanke wieder, er konnte ihn nicht zurückholen verspürte ein betäubendes Gefühl des Verlusts.

»'s iss so wunnerschön!« rief Bellamia neben ihm.

»Was kann das sein?« fragte Wellmod ehrfürchtig flüsternd.

»Eine Vision ...«

Das Segel verschwand allmählich hinter einem fernen Hügel. Immer weniger blieb sichtbar. Trotzdem sahen sie weiter zu. Schließlich war nur noch das längliche Auge übrig, das sie vom Horizont aus anzustarren schien. Dann verschwand auch das. Eine Weile sprach niemand.

Sie sahen zu Essanits und warteten auf eine Erklärung.

»Ich kann nur Vermutungen anstellen ... Fremant, hast du so etwas schon einmal gesehen?«

»Niemals.«

»Ich kann nur raten, dass das ein Flügel von etwas war.«

»Dann möglicherweise der Flügel der schwarzen Dinger aus der Höhle? Ihr nächstes Entwicklungsstadium ...«

So viel sie auch redeten, der gewaltige mutmaßliche Flügel blieb ihnen ein Rätsel.

»Wir machen uns besser wieder auf den Weg«, sagte Chankey und seufzte tief. Alle hatten etwas gesehen, das repräsentierte, was ihnen fehlte.

Am folgenden Tag kamen sie zu einem großen Gewässer. Schilf säumte die Ufer, dazwischen glitzerte Wasser und reflektierte die Sonne wie ein Spiegel. Es war ein See, der die Ausmaße eines Binnenmeers zu haben schien. Das Wasser war reglos, als würde es warten. Fremant erinnerte sich an seine frühere erschreckende Begegnung in einem Teich, bei der dieses Ding ihn angegriffen hatte.

Essanits deutete zum fernen Ufer, wo sie ein Wäldchen erblickten.

»Das ist unser Ziel. Da liegt Unreichbar.«

»Aber wie kommen wir über diesen dammaratzigen See?«

»Das Wasser ist nicht tief. Die Pferde bringen uns rüber.«

»Und wenn etwas im Wasser ist, das uns angreift?«

»Das glaube ich nicht.«

Die Sonne schien, sie standen unschlüssig da. Sie zögerten, ins Wasser zu gehen.

Fremant fragte, was sie tun würden, falls sie auf der anderen Seite des Sees überlebende Hundefroinder finden sollten. Essanits bedachte ihn mit einem Blick heftigen Abscheus. Er antwortete tonlos, dass sie alle Überlebenden zurück nach Stygia City bringen und dort wieder ansiedeln würden, sollten sie zurückkehren wollen. Falls nicht, würde es eine Zeremonie geben, um das Bedauern der Menschen für begangenes Unrecht auszudrücken.

Werden sie das verstehen?

Werden sie sich nicht erheben und uns töten?

Werden sie kollektiven Selbstmord begehen, wie es die Menschen vorher schon erlebt hatten?

Essanits zuckte die Achseln. Sie mussten auf Gott vertrauen und das Beste hoffen.

Bellamia fragte, wie sie eine fremde Sprache verstehen sollten. Sie sagte, sie würde ihnen eine Mahlzeit kochen. Das wäre vielleicht sinnvoller zur Verständigung als eine Zeremonie. Essen wäre die universelle Sprache, sagte sie.

Essanits stimmte widerstrebend zu.

Wellmod sagte, die Hundefroinder könnten *sie* töten.

Fremant dachte: Wenn ich morgen sterbe, wache ich im Paradies auf …

Chankey lenkte sein Reittier ins Wasser.

Einer nach dem anderen folgte ihm.

Das Wasser war kalt, aber flach, wie Essanits gesagt hatte. Die Pferde kämpften sich voran. Nach einer Stunde hatten sie den See noch nicht zur Hälfte überquert. Nach zwei Stunden, als die Pferde bereits merklich erschöpft waren, schienen sie sich dem gegenüberliegenden Ufer zu nähern.

»Etwas im Wasser folgt uns«, sagte Chankey. »Haltet die Gewahre bereit.«

Bellamia und Fremant hatten bereits verräterische Wellen auf beiden Seiten bemerkt. Bellamia wurde sehr nervös. Sie versuchte, ihr Pferd anzutreiben, aber das Tier war zu erschöpft, um zu reagieren. Alle wirkten nervös und angespannt.

Wellmod schrie plötzlich auf. Ein riesiges Paar Kauwerkzeuge, die schwarz in der Sonne glänzten, erhob sich aus dem Wasser. Sie tauchten neben Wellmod auf, der wie üblich die Nachhut bildete. Aber die Kreatur griff nicht ihn an. Stattdessen schlossen sich die gewaltigen Kauwerkzeuge über der Letzten in der Reihe der Ziegen. Die Ziege zappelte, wurde aber innerhalb von Sekunden unter Wasser gezogen. Gischt schoss empor, dann stieg ein weißlicher Glibber blubbernd zur Oberfläche. Wellmods Schreckensschreie verschmolzen mit dem Wiehern der scheuenden Pferde. Essanits brachte sein Tier schnell unter Kontrolle. Chankeys Pferd bockte und scheute. Chankey, kein so guter Reiter wie sein Anführer, landete im Wasser.

Sofort packte ihn eins der Unterwasserwesen. Hustend kam er wieder an die Oberfläche, ein ausgestreckter Arm und der Nacken im Griff der hornartigen Kauwerkzeuge. Es gelang ihm, den eingeklemmten Arm zu drehen, sodass er einen der bedrohlichen Kiefer ergreifen konnte. Mit der anderen Hand packte er den anderen Kiefer. Im Bemühen, beide Kiefer aufzustemmen, zog er seinen Angreifer halb aus dem Wasser. Der sah weniger wie ein Hirschkäfer, sondern mehr wie eine Spinne mit fast kugelförmigem Körper voller Augen und haarigen Beinen aus – die monströse Gestalt eines riesigen, grau, beige und blauen Insekts. Dann tauchte das Scheusal ab und zog Chankey unter Wasser. Er kam wieder hoch und stemmte sich mit vor Anstrengung und Schmerzen rot angelaufenem Gesicht zurück. Mit einem heftigen Ruck riss er die Kiefer auseinander. Eine gelbliche, eitrige Substanz ergoss sich in das Wasser um ihn herum.

Keuchend zog sich Chankey wieder auf sein Pferd. Nach Luft schnappend lag er auf dessen Rücken.

Das Wasser um ihn herum brodelte plötzlich. Mehrere Paare der schwarzen Hörner tauchten auf und verschwanden wieder, als die anderen Scheusale um die Überreste des toten Monsters kämpften.

Essanits rief seinen Gefährten zu, sie sollten so schnell wie möglich vom Ort des Geschehens fliehen. Schwer erschüttert trieben sie ihre Pferde an und erreichten ein paar Minuten später das Ufer.

Sie ritten zu dem schützenden Wäldchen weit oberhalb des Ufers und warfen sich erschöpft zu Boden. Selbst die Pferde brachen zusammen.

»Ist alles in Ordnung mit dir, Chankey?« Bellamia und Fremant liefen zu ihm. Chankey lag zusammengerollt auf dem Boden, die Arme krampfhaft vor die Brust gepresst, die Knie fast bis zum Kinn hochgezogen. Er schaukelte vor Schmerzen hin und her.

»Das Mistvieh hätte mich fast erwischt. Zeusel noch mal! Irgendwas hat mich gestochen. Aber es geht schon …«

Bellamia sah ins Laubwerk über ihnen und seufzte. »Furchtbar!« sagte sie. Diese Welt, wo Insekten regären – reg – die Oberhand haben …«

Fremant konterte mit der Frage, ob eine Welt, wo Menschen die Oberhand hatten, wirklich besser sei.

Niemand antwortete darauf. Er lag erschöpft da. Bellamia streckte sich neben ihm aus, streichelte sein nasses Haar, strich ihm über die Stirn und flüsterte ihm selbstlos Zärtlichkeiten zu.

Sein Herz und Kopf waren voll Liebe zu ihr, wie eine gerade erblühte Blume.

Essanits ließ sich auf die Knie sinken und betete laut. Er betonte seine eigene Sündhaftigkeit und die aller Menschen. Er behauptete, das wunderschöne Segel, das sie gesehen hatten, sei ein Zeichen des Allmächtigen, das ihnen Erlösung verhieß. Er hoffte, sie würden Vergebung finden, wenn sie die letzten Exemplare der eingeborenen Rasse retteten. Er betete für ihre sichere Rückkehr nach Stygia City.

Über all diese Punkte ließ er sich lang und breit aus.

»Ach, Zeusel noch mal, halt den Mund!« sagte Chankey. »Ich kann den Quatsch nicht mehr hören!«

»Ich bete für dein Seelenheil«, sagte Essanits ernst.

»Ich habe eine Frage«, sagte Fremant, als ein lautes Amen das Ende des Gebets besiegelte – »wenn Jesus einst auf diesem Planeten wandelte, wandelte er als Mensch oder Insekt?«

»Das ist eine höchst gottlose Frage.«

»Nein. Ich bin neugierig. Mensch oder Insekt?«

Wellmod präsentierte eine Antwort. »Natürlich als Mensch. Er wandelte nicht als Tiger oder Löwe auf Erden, oder?«

»Ich schätze, darum kommen Tiere auch nicht in den Himmel«, sagte Chankey. Er hustete heftig.

Essanits stand auf und gab den Befehl zum Aufbruch.

Fremant half Chankey auf die Füße. Sie bahnten sich einen Weg zwischen den Bäumen hindurch. Es ging bergauf.

Oben auf der Anhöhe, wo der Baumbestand aufhörte, blieben sie stehen und blickten in ein schmales Tal. In dem Tal stand eine Anzahl lederner Zelte. Jedes Zelt lief spitz zu und war mit bunten Bildern bemalt. Fremant hatte schon früher ein ähnliches Zelt gesehen.

»Wir sind da«, sagte Essanits. »Das ist der Ort.« Sie stiegen ab und banden ihre Pferde und die verbliebenen Ziegen an Bäume.

»Chankey, wir gehen zu Fuß da runter und reden mit ihnen. Fremant, du bleibst mit Wellmod und der Frau hier oben. Seid auf der Hut, falls es Ärger geben sollte.«

»Die ›Frau‹ tritt dir gleich in deinen aggoranten Arsch«, sagte Bellamia leise, als die beiden Männer sich auf den Weg machten.

Die Zelte wirkten marode. Nur eins schien ordentlich in Schuss zu sein. Aus ihm traten eine zweibeinige Gestalt und ein Hund. Sie warteten fluchtbereit ab und sahen den näherkommenden Männern entgegen.

Ein weißer Streifen tauchte zwischen beiden Gruppen auf. Er schien sich durch das ganze Tal zu erstrecken. Er schwebte annähernd in Kniehöhe. Auf der Oberfläche bildeten sich kleine Figuren, viele rund, alle in matten Farben. Zeitweilig konnte man durch den Streifen hindurchsehen.

»Das ist ihre Sprache«, rief Fremant Essanits zu. »Sie wollen etwas sagen!«

Essanits und Chankey hielten verblüfft vor dieser Erscheinung an. Sie versuchten erst gar nicht, zu antworten. Der Streifen nahm eine rötliche Färbung an.

Chankey stieß einen Wutschrei aus. Er rannte durch den imaginären Streifen zu Hundefroinder und Hund.

»Sei vorsichtig!« rief Essanits, der ebenfalls loslief. Der Hund sprang aus dem Weg. Der Hundefroinder packte eine Stange und hielt sie so geschickt, dass Chankey hineinlief und die Spitze ihn an der Brust traf. Die Wucht seines Ansturms trug ihn weiter. Er rannte den kleinen Hundefroinder um. Sie fielen zu Boden. Chankey gab dem anderen einen Kopfstoß. Der Hundefroinder sackte nach hinten und schlug mit dem Kopf auf einen der vielen Steine.

Essanits trat hinzu und zerrte Chankey von seinem Gegner. »Mich hat etwas gestochen«, stöhnte Chankey kurzatmig.

»Du seelenverlorener Dummkopf!«

Fremant lief nach unten und hielt den Hund fest, der zu seinem niedergestreckten Freund wollte. Wenig später kam Bellamia mit einem Weidenkorb, den eins der Packpferde getragen hatte. Gemeinsam schoben sie den Hund in den Käfig und schlossen die Tür.

Der Hundefroinder rappelte sich benommen in eine sitzende Haltung auf.

»Geht es dir gut?« fragte Essanits, kniete nieder und stützte die kleine Gestalt mit dem Arm.

Der kleine Wicht murmelte etwas, schloss die Augen – und starb.

»Oh Gott! Chankey, du gewalttätiger Narr«, rief Essanits. »Du hast den letzten lebenden Hundefroinder getötet.«

»Nein, nein, sicher nicht. Nie im Leben. Wir müssen nur in die anderen Zelte sehen. Da wimmelt es von denen. Elende kleine Biester. Das sind Pygmalien.«

»Du meinst Pygmäen. Bleibt hier! Ihr anderen durchsucht die Zelte. Seid vorsichtig!«

Aber Chankey hatte sich schon schwankenden Schrittes in Bewegung gesetzt. Kurz vor einem der verfallensten Zelte brach er zusammen. Er wälzte sich auf dem Boden, fluchte und zerrte an seinem Hemd. Als die anderen ihn erreichten, rührte er sich nicht mehr.

Bellamia kniete neben ihm und tastete nach seinem Puls. Sie fand keinen. In seiner Qual hatte Chankey den Bauch entblößt. Bellamia zuckte entsetzt zurück, als sie es bemerkte. Dicht unter dem Nabel hatte sich eine große rote Blase gebildet. Direkt unter deren Oberfläche sah sie kleine weiße Kreaturen, wie Maden, darin schwimmen.

Sprachlos zeigte sie den anderen die Blase.

Chankey war tatsächlich gestochen worden, wie er behauptete. Im Wasser des Sees hatte das käferartige Monstrum, das ihn gepackt hielt, Eier unter seiner Haut abgelegt.

Fremant und Wellmod erschauerten vor Ekel.

»Wir müssen ihn begraben«, sagte Essanits. »Und diese widerlichen Insekten mit ihm.«

»Wie sollen wir ein Grab schaufeln?« fragte Fremant. »Wir wissen nicht, was in den anderen Zelten lauern mag. Wenigstens haben wir diesen Hund. Gehen wir nach Hause. Diese ganze Expedition ist eine Katastrophe. Wir hätten auf einen anderen Schiebzieh warten und herfliegen sollen.«

Essanits sah ihn wütend an. »Ehrlich gesagt mag ich dich nicht, Fremant. Ich bin schockiert, dass du daran denkst, diesen armen Kerl unbegraben zurück und auf ungeweihter Erde verrotten zu lassen.«

»Warum ist es besser, ihn in dieser ›ungeweihten‹ Erde zu begraben? Außerdem hat er deine Pläne zunichte gemacht, oder? Er hat den letzten lebenden Hundefroinder getötet!«

»Im Angesicht des Todes müssen wir vergeben!«

Schließlich schnallten sie Chankeys Leichnam nach langem Hin und Her auf eins der Pferde und ritten zurück zum See. Dort banden sie ihm einen Stein an ein Bein und versenkten ihn in dem kalten Wasser. Essanits sprach ein feierliches Gebet für seine Seele, während sich das Ding im Wasser an dem Leichnam gütlich tat.

7

Der lange Weg zurück nach Haven stand ganz im Zeichen wachsender Spannungen zwischen Fremant und Essanits. Fremant protestierte, dass es unnötig und grausam sei, den Hund des Hundefroinders in dem Käfig zu halten.

»Wir bringen die Kreatur zurück nach Stygia City. Safelkty hat die Cereb-Maschine in den Laboratorien der *New Worlds* perfektioniert. Damit können wir die Gedanken des Hundes lesen, wo noch Eindrücke der vergangenen Kultur gespeichert sein sollten. Das ist unsere Pflicht.«

»Was soll der Hund schon sagen können? ›Platz, Hündchen!‹ ›Bei Fuß!‹ Das ist Zeitverschwendung. Du willst nur das Gesicht wahren ...«

»Unsinn. Der Hund könnte sich als nützlich erweisen.«

Fremant schloss die Augen und hob abwehrend die Hand. »Denk nach, ja? Seit wir auf Stygia gelandet sind, haben wir den Genozid der Hundefroinder vorangetrieben. Warst du nicht Anführer dieser Bewegung? Wir zwei haben gerade den Letzten getötet, und du meinst, dieser armselige Köter ›könnte sich als nützlich erweisen‹? Was bist du für ein Narr?«

»Wer bist du, mir Vorwürfe zu machen? Der Tag wird kommen, da wir einsehen, dass es nötig war, die eingeborene Rasse dieses Planeten zu vernichten, um Gottes Willen auf dem Planeten Geltung zu verschaffen.«

»Tatsächlich? Dann halte ich nicht viel von deinem Gott.«

Bellamia ergriff sein Handgelenk. »Erzürne ihn nicht, Free!« sagte sie. Es blieb unklar, ob sie Gott oder Essanits meinte.

Sie zogen weiter und wurden immer hungriger. Die restlichen Ziegen hatten die Monster auf dem Rückweg durch den See verschlungen. Wellmod schlug vor, dass sie den Hund essen sollten, aber die Männer lehnten ab.

Der Hund lag fast reglos auf dem Bauch, aber mit offenen und wachsamen Augen. Er ähnelte nur vage irdischen Hunden, obwohl viele seiner Insektenmerkmale verloren gegangen waren. Der Körper war in vier Segmente unterteilt, die hinteren drei jeweils mit einem Paar stelzenartiger Beine. Kleine Röhren mit beweglichen Klappen, die Luft in den Körper sogen, ragten aus jedem Segment heraus. Lungen mussten sich auf Stygia erst noch ausbilden.

Der Schwanz lag glatt am Rücken an, wenn er nicht gebraucht wurde. Die Quaste am Ende entpuppte sich bei genauerem Hinsehen als sechs schmale Finger. Als Fremant dem Hund Brotkrumen anbot, streckte der diesen Schwanz zwischen den Gitterstäben hindurch, griff mit den Fingern nach den Krumen und führte sie elegant zum Mund.

Der Kopf hatte die spitz zulaufende Schnauze seiner Art und zwei große Augen, aber offenbar keine Ohren. Ohne Hörapparat, projizierte der Hund Bilder. Aber anscheinend nicht in Gefangenschaft.

Sie sahen wieder das große Segel. Es schwebte majestätisch in einem sanften Wind. Sie hielten auf dem Weg an und bewunderten es. Es wirkte so unwirklich, so schön, so voller Gleichmut. Und diesmal waren es sogar zwei Segel, die dicht nebeneinander dahinglitten. Als der Wind drehte, trieben die Zwillingssegel auf die Reisenden zu.

Beide Segel zeigten die harmonisch ineinander verlaufenden Zeichnungen. Ein Satz Zeichnungen war leuchtender als der andere.

»Das wird das Weibchen sein«, sagte Bellamia.

»Wohl eher das Männchen«, sagte Essanits.

Als die Segel allmählich majestätisch näherkamen, suchte die Gruppe Schutz hinter einer Felsbarriere. Sie konnten jetzt die gewaltigen Ausmaße einschätzen und erkennen, dass sich eine gebogene Stützstrebe vom Ansatz der Vorderkante bis zur Spitze erstreckte, die das Segel stabil hielt. Nach oben hin verjüngte sie sich. Das Segel selbst wirkte hauchdünn und zart wie der Flügel eines Falters.

Beide Segel näherten sich und schwebten dicht über dem Boden.

Die Segel mochten majestätisch wirken, der Körper darunter definitiv nicht. Ein schlangenartiges Insekt mit Beinen, einem grauen Körper, starken Kiefern am vorderen und einer Art Stachel am hinteren Teil.

Die Segel rückten noch näher. Essanits hob das Gewehr, stützte es mit dem linken Arm und feuerte. Die Kugel traf den vorderen Teil des Fliegers, der zerplatzte und den Anführer der Expedition mit einem stinkenden grünlichen Glibber besudelte.

Einen Moment glitt das Segel weiter, dann sackte es ab, der Körper prallte gegen einen Felsen, die ganze majestätische Konstruktion sank langsam zu Boden. Das andere Segel hielt nicht einen Moment inne, sondern schwebte vom Wind getragen weiter und verschwand schließlich in der Ferne.

Bellamia und Fremant rupften Hände voll Gras aus, um sich gegenseitig den stinkenden Schleim abzuwischen. Essanits stolzierte zu seinem Ziel und betrachtete es.

»Na also!« sagte er. »Jetzt haben wir etwas zu essen.«

»Dammaratz! Wer will schon dieses stinkende Zeug essen?« rief Bellamia. »Andererseits, wenn man es kocht ...«

Fremant ging sich das große Segel ansehen. Die Farben verblassten bereits, das Gewebe wurde brüchig wie alter Stoff. Eine unsägliche Traurigkeit überkam ihn, ein Schmerz der sich kaum ertragen, geschweige denn verstehen ließ.

Essanits kam trat von hinten hinzu. »Hör auf zu flennen, Mann, und lass uns weiter reiten.«

Fremant fuhr herum und versetzte ihm brutal einen Stoß gegen die Brust.

Als sie schließlich Haven erreichten, fanden sie den Ort vollkommen verwandelt vor. Überall wehte eine neue Flagge. Neue Holzhäuser wurden hochgezogen, und Männer – viele in Uniform – drängten sich auf dem Platz in der Ortsmitte, brüllten und redeten sich auf eine albern militaristische Weise an.

Einige einheimische Frauen in staubigen, selbstgewebten Gewändern sahen hilflos zu; sie waren alle alt und verbraucht, obwohl zwei davon Babys in den Armen hielten.

Eine neues Hauptgebäude war entstanden. Ein Banner wies es als »Regionalregierung« aus, obwohl die Flagge von Stygia City gehisst war. Essanits marschierte schnurstracks zur Tür hinein, als habe er während der ganzen Expedition an nichts anderes gedacht.

Bellamia und Fremant stiegen die Stufen zu ihrer Behausung hoch, um sich zu waschen. Sie fütterte den Hund, der einen roten Schleier zwischen ihnen erzeugte, möglicherweise eine Art Blume. Sie wertete das als Zeichen der Dankbarkeit.

»Du bist ein gutes Hundchen, wenn auch hässlich.« Und an Fremant gewandt fügte sie hinzu: »Und außerdem eine dammaratzige Art von Insekt.«

Nach einer kurzen Mahlzeit suchte Fremant Utrersin auf, um herauszufinden, was im Dorf vorging. Der Mann arbeitete wie gewöhnlich in seiner Schmiede.

»Ich hätte nie geglaubt, dass ich dich wiedersehe«, sagte er ohne ein Lächeln und legte den Hammer zur Seite. »Dieses Kaff ist jetzt wie ein Ameisenhaufen – lauter Neuankömmlinge, die von Freiheit reden. Man sollte meinen, das würde mir gefallen. Du kannst dir nicht vorstellen, wie sehr die Bestellungen für neue Gewehre in die Höhe gegangen sind. Aber was mich angeht, ich hab was gegen diese Änderungen.«

»Was ist hier denn überhaupt los?«

Der Büchsenmacher richtete sich auf und strich das Haar aus der schweißnassen Stirn. Sein Schopf fiel wie gewöhnlich sofort wieder zurück. »Ich bin nich der einzige, der mehr zu tun hat. Da sind Männer, die machen den Boden platt, damit Schiebziehs drauf landen können. Und es gibt Männer, die 'ne Straße oder Trasse oder so nach Stig City bauen, und welche, die für 'ne Art regionaler Miliz trainieren. Man erkennt den Ort gar nicht wieder. Überhaupt keine Ruhe mehr.«

»Das klingt für mich aber nach Verbesserungen.«

Utrersin blickte mit einem Grinsen durch sein in die Stirn gefallenes Haar. »Du warst auch schon immer ein bisschen weich in der Birne, Kumpel.«

Als er über den Dorfplatz zurückschlenderte, wurde Fremant von zwei großgewachsenen Männern mit Militärkappen angehalten. »Du sollst zu einer Besprechung ins Regierungsgebäude kommen.«

»Und wieso?«

»Du warst doch auf dieser Expedition mit Govenor Essanits, oder?«

»Ach, ist er jetzt Gouverneur?«

»Von irgendwo wird er schon Govenor sein«, sagte der Anführer der beiden gleichgültig. »Komm schon, beweg dich. Du willst doch keinen Ärger, oder?«

Er ging mit ihnen, wenn auch nicht ohne Vorbehalte.

Kaum hatten die drei das Tor des Gebäudes der Regionalregierung passiert, ergriff man ihn. Er wehrte sich und trat um sich, aber die beiden Männer nahmen seinen Kopf in den Schwitzkasten und erwürgten ihn fast. Er wurde in eine kleine Zelle mit hölzernen Wänden gestoßen. Es roch nach frisch verarbeitetem Holz. Wütend hämmerte er gegen die Tür.

Das einzige Licht in der dunklen Zelle drang durch einen Spalt unter der Tür. Niemand reagierte auf sein Hämmern. Er gab auf und setzte sich geschlagen auf einen kleinen Vorsprung in der Wand, der als Bank diente.

Die Zeit kroch dahin. Ein Blatt Papier wurde unter der Tür hindurchgeschoben. Er hob es auf und quälte sich blinzelnd im trüben Licht durch den Text. In verschnörkelten Buchstaben stand dort:

> Auf Geheiß der Regierung von Haven City sind Sie bis zur bevorstehenden Verhandlung verhaftet, weil Sie den Gouverneur von Seldonia, wie der Landstrich zwischen Stygia City und Haven City jetzt heißt, geschlagen haben. Solche gewalttätigen Akte gestatten die neuen Gesetze nicht mehr. Der Zeitpunkt Ihrer Verhandlung wird in Kürze bekannt gegeben. Bis dahin sind Sie angewiesen, sich ruhig zu verhalten, anderenfalls werden Ihnen Nahrung und Wasser entzogen.

Unterschrieben war der Zettel mit: »Der Bürgermeister von Haven City.«

Entnervt ließ er das Blatt fallen.

Er blieb so lange wie möglich wach. Schließlich setzte er sich auf den Boden, mit dem Rücken zur Holzwand, zog die Knie unter das Kinn und fiel in einen tiefen Schlaf.

Ein Dröhnen in seinen Augen, ein Geräusch wie tosender Applaus, das Gefühl, als würde er endlos durch ein Medium fallen, das Raum war und doch kein Raum.

Eine Frau zog eine Injektionsnadel aus seinem linken Arm. Neben ihr stand ein tragbarer Scheinwerfer auf einem Rollwagen.

»Schon besser«, sagte sie. Braune Augen hinter einer randlosen Brille. Sie wirkte nicht unfreundlich. »Wie geht es Ihnen? Sie sehen nicht gut aus. Ich besorge Ihnen gleich ein Glas Wasser.«

Er konnte nicht sprechen. Er war froh, eine Frauenstimme zu hören.

Sie hantierte an dem Wagen, den sie in den Raum geschoben hatte. Er kannte den Raum. Auf seine gestörten Sinne wirkte er riesig. Einst ein prachtvoller Raum. Marmorne Cherubim am

Kamin, Stuck in den Wandnischen und an der Kuppeldecke, geblümte, abgelöste Tapeten an den Wänden.

Die Frau wandte sich wieder ihm zu und, da er ihr jetzt weniger benommen schien, machte sie eine Bemerkung, dass er wohl gegen eine Tür gelaufen sein müsse, weil er einen schweren Bluterguss am linken Auge hatte.

Es gelang ihm, ein paar Worte hervorzustoßen. »Ich habe überall Blutergüsse.«

»Aber, aber!« Sie trat zu ihm und betrachtete ihn mitleidig. »Viele Gefangene verletzen sich selbst. Eine Reaktion auf das durch die Gefangenschaft erzeugte Schuldgefühl.«

Er versuchte nicht, ihr zu widersprechen. Im Gegenteil, es überwältigte ihn fast, eine mitfühlende Stimme zu hören, ein mitfühlendes Gesicht an diesem Ort der Qual zu sehen.

»Was ist mit Bellamia geschehen? Sie sollte ein ordentliches Begräbnis bekommen.« Als er die Verwirrung der Frau sah, verbesserte er sich und sagte, dass er Doris meinte.

»Ach ja, Doris. Natürlich. Natürlich.« Sie lockte ihn mit einem Finger. »Ich möchte, dass Sie ein Dokument unterzeichnen. Dann bekommen Sie das Glas Wasser.«

Als sie sich wieder ihrem Wagen zuwandte, bemerkte er, dass sie eine stämmige Frau war, ausladende Hüften, breiter Hintern. Sie trug eine Jacke und einen Rock aus grobem Stoff, fast wie eine Uniform. Die Sympathie, die er ursprünglich für sie empfunden hatte, schwand angesichts dieser imposanten Hinteransicht.

»Werde ich freigelassen?«

»Sie behaupten immer noch, dass Sie unschuldig sind, was?« fragte sie, ohne sich umzudrehen.

»Das bin ich. Ich *bin* unschuldig. Vollkommen unschuldig. Ich bin britischer Staatsbürger«, fügte er hinzu. »Strenggenommen bin ich unschuldiger als viele andere britische Staatsbürger.«

Sie drehte sich zu ihm um und sah plötzlich sehr grimmig

drein. Das Haar trug sie kurz geschnitten und blond gefärbt. Er bemerkte den dunkleren Haaransatz.

»Aber Sie sind Moslem. Sie haben diese Bemerkung über den britischen Premierminister in Ihrem Buch gemacht ...«

»Das war nur ein Witz unter vielen.«

Sie schien nicht überzeugt. »Erzählen Sie mir einen anderen so genannten Witz.«

Er seufzte. »Da ist zum Beispiel eine Figur namens Snowy Snowden, der ist Krankenpfleger, geht in ein italienisches Fisch-Restaurant und bestellt sich spina bifida ...«

In ihrem Gesicht regte sich kein Muskel.

Sie fragte, wo er bei seiner Verhaftung gewesen sei.

»Ich habe Cricket gespielt. Sie haben mich im Pavillon verhaftet.«

»Sie haben *Cricket* gespielt?«

»Warum nicht?«

»War das so etwas wie ein Alibi?«

»Ein Alibi? Wofür? Ich hatte nichts Unrechtes getan – abgesehen davon, dass ich gerade mal miserable neun Punkte für meine Mannschaft gemacht habe.«

Die Frau schien aus Prinzip nicht zu hören, was er sagte. Sie setzte wieder diesen mitfühlenden Gesichtsausdruck auf und stemmte eine ihrer Hüften gegen den Sims, auf dem er lag. »Sie können jetzt gehen«, sagte sie. »Sie bekommen natürlich Ihre Uhr und den Inhalt Ihrer Taschen zurück. Wir hoffen, Ihr Aufenthalt hier war nicht zu unbequem.«

»Wo bin ich? In welchem Land sind wir?«

»Sie müssen zuerst dieses Dokument unterzeichnen.« Sie reichte es ihm. Er schielte mit dem gesunden Auge darauf.

In dem Dokument hieß es verklausuliert, dass die Verhöre alle ordnungsgemäß und im Rahmen der Britischen Rechtsprechung und der Genfer Konvention durchgeführt worden seien; dass man ihn während seines Aufenthalts gut behandelt, ihm keine Verletzungen zugefügt und ihn gut ernährt hatte. Dass ihm seine Habseligkeiten, einschließlich seines Passes, wieder ausgehändigt worden seien. Und man ihm die Benutzung seines Zimmers nicht in Rechnung stellen werde.

»Das ist völliger Blödsinn!«

»Sie weigern sich, es zu unterschreiben?«

»Darin wird meine Frau, Doris, nicht erwähnt. Was ist mit ihrem Leichnam geschehen?«

Sie zückte ein Handy und tippte eine Tastenkombination ein. Konzentriert betrachtete sie den kleinen rechteckigen Bildschirm.

»Sie sind Fadhil Abbas Ali?«

»Paul Fadhil Abbas Ali.«

»Es gibt keinen Hinweis, dass Sie eine Frau haben oder hatten. Eine Doris wird nirgendwo erwähnt. Unterschreiben Sie einfach das Dokument, ja? Machen Sie keinen Ärger. Ich hab nicht den ganzen Tag Zeit.«

»Aber ich muss wissen, was mit meiner Frau geschehen ist. Das verstehen Sie doch?«

Plötzlich war sie wütend. »Unterschreiben Sie das Scheißdokument, verflucht! Andernfalls sitzen Sie hier, bis Sie verrotten.«

Als Antwort riss er das Papier entzwei.

Die Frau hob eine muskulöse Faust und versetzte ihm einen Schlag auf das verletzte linke Auge.

Er erwachte langsam, wie betäubt und starr vor Kälte. Seine Knie fühlten sich steif an. Langsam streckte er die Beine. Vorsichtig stand er auf und stützte sich mit einer Hand an der Holzwand ab. Sein Auge schmerzte.

Er konnte nichts tun als dastehen.

Schließlich wurde die Tür aufgesperrt. Ein Mann stieß sie auf und kam mit einem kleinen Tablett herein. Ein anderer Mann stand direkt hinter der Tür Wache.

»Hier, dein Essen. Deine Verhandlung ist heute im Lauf des Tages«, sagte der Mann und balancierte das Tablett auf den schmalen Vorsprung.

»Wann? Morgens oder nachmittags?«

»Das werden wir sehen.« Er zog sich zurück, ging die paar Schritte rückwärts. Die Tür wurde geschlossen und versperrt.

Die Mahlzeit bestand aus einer Brotrinde, einem Ei, einem kleinen Glas Wasser. Er roch vorsichtig an dem Wasser, bevor er davon trank.

Nach langer Zeit kehrten die beiden Wachen zurück, die ihn verhaftet hatten, und führten ihn in einen kleinen Raum auf der Rückseite des Gebäudes. »Keine Bange«, sagte einer der beiden. »Er ist ein ziemlich guter Kerl.«

Am Tisch saß Essanits. Zwei junge Sekretäre an einem anderen Tisch hinter ihm. Die Wachen nahmen Habachtstellung an und blieben links und rechts neben Fremant stehen. Durch ein Fenster hinter Essanits sah er Grünpflanzen.

Essanits musterte seinen Gefangenen eine Weile wortlos und mit ausdruckslosem, breitem Gesicht. Er trug eine neue, weiße Uniform.

»Fremant, ich will, dass du mir einen Dienst erweist.«

Da Fremant nicht antwortete, fuhr Essanits fort. »Dir ist klar, dass es illegal ist, einen Governor – in dem Fall mich – zu schlagen. Ich könnte dich streng bestrafen lassen. Ich hoffe, die Nacht in der gemütlichen kleinen Zelle hat dich gefügiger gemacht. Wie was das Essen?«

»Akzeptabel.«

»Akzeptabel? Gut. Vielleicht das Beste, das wir unter den Umständen erwarten durften. Ich will, dass du etwas für mich erledigst. Du wirst den Hund, den wir gefangen haben, in Begleitung von Wachen nach Stygia City zu Govenor Safelkty bringen, die Umstände erklären, unter denen das Tier gefangen wurde, und es ihm dann zur Untersuchung überlassen.«

»Warum ich? Warum nicht du?«

»Ich habe hier zu tun. Wir müssen ein funktionierendes Gemeinwesen schaffen. Ich bin entschlossen, Ordnung in Haven City zu schaffen. Was ist mit deinem Auge passiert? Wir müssen den Ältesten Deselden und seine Clique wegen Gotteslästerung verhaften. Und so weiter, und so fort.«

Fremant schwieg und dachte nach, bevor er sich wieder äußerte. »Wenn du nach Stygia City zurückkehrst, würde Safelkty dich wahrscheinlich töten lassen, richtig?«

Essanits hieb mit der Faust auf den Tisch. »Verdammt, Mann! Ich biete dir eine Chance statt eines Gerichtsverfahrens, bei dem du wahrscheinlich verurteilt und bestraft würdest.

Du weißt, ich bin ein nachsichtiger Mann. Ich will dir helfen. Ich weiß, du bist ein merkwürdig neurotischer Kerl mit einer assoziativen Persönlichkeitsstörung. Ergreif die Gelegenheit, die ich dir biete, aus der Stadt zu verschwinden – du und dieser dammaratzige Köter!«

Sie mussten nicht mehr laufen oder reiten, wie früher. Stattdessen fuhren sie in einer Kutsche, einem Breitachser. Für drei Stigs pro Person quetschen sich Fremant und Bellamia neben vier weiteren Personen in die Sitze. Unterwegs trafen sie mehrere andere Kutschen. Sie reisten ohne nennenswerte Zwischenfälle durch die neuernannte Provinz Seldonia. Ein Schiebzieh flog über ihnen dahin. In einem Schiebzieh wären sie nach fünf Minuten an den Zielort gelangt, den zu erreichen einst eine Zeitspanne gedauert hatte, die drei Lichtaus umspannte.

Bellamia gab Fremant einen Kuss, als sie losfuhren. Ihm fiel auf, dass sie unwillkürlich immer seinen Kopf hielt, wenn sie ihn küsste, als habe sie Angst, er könnte sich abwenden. Aber ihren weichen, üppigen Lippen konnte man nur schwer widerstehen.

Er liebte sie wirklich. Es tat ihm leid, dass es ihm nicht möglich war, sie mit seiner ganzen Person zu lieben – wie es die Situation seiner Meinung nach eigentlich von ihm verlangte. Deswegen war er besonders liebevoll, und hatte den Arm während der Reise die ganze Zeit um ihre üppige Taille gelegt. Sie hielt den Hund in seinem Käfig auf dem Schoss. Der Hund strahlte flüchtige kleine Bildzeichen aus, in denen nackte Menschen tanzten und sich in Blätter und Blüten verwandelten. Oder waren es Blätter und Blüten, die sich in nackte Menschen verwandelten? Auf jeden Fall schienen es freundliche, wenn auch verwirrende Gesten ihres Gefangenen zu sein.

Wie erwartet, hatte sich auch Stygia City verändert. An einer eindeutig markierten Grenze hielt ein Wachtposten ihren Breitachser an. Die Passagiere stiegen aus und wurden einer nach dem anderen in das Kontrollhäuschen geführt, wo man sie einzeln sehr freundlich befragte. Sie mussten Namen, Zweck ihres Aufenthalts, Beruf und Herkunftsort angeben und sich zu ihrem Gesundheitszustand äußern.

Alle sechs Passagiere durften einreisen und erhielten kleine Kärtchen, die zu ihrer Identifikation dienten.

»Nicht verlieren«, wies der Beamte sie an.

Fremant sah sich sein und Bellamias Kärtchen genauer an. Sie waren neu wenn auch primitiv gedruckt, und trugen eine Unterschrift: Lord Safelkty, Präsident von Stygia.

»Also ist er jetzt Präsident des ganzen zeuseligen Planeten!« rief Fremant.

»Woher weißt du das?« Bellamia betrachtete verständnislos ihr Kärtchen. Ihm fiel ein, dass sie nicht lesen konnte. Einer oder zwei andere Passagiere hatten das gleiche Problem.

Sie gingen in die Stadt.

An so viel Regsamkeit konnten sie sich nicht erinnern. Männer arbeiteten in Gruppen. Verkaufsstände überall, viele von Frauen betrieben. Allerorten Parolen. SEID GUTE BÜRGER, ermahnte eine. KINDER SIND UNSERE ZUKUNFT. BAUT MEHR. LASST DIE ARBEIT EUER GOTT SEIN.

Der Gebäudekomplex, der ehemals Zentrale hieß, war jetzt der REGIERUNGSSITZ. An seiner Tür hing eine lange Ermahnung: »BÜRGER, LERNT LESEN! HOLT EUCH HIER GRATIS EURE ALFABET-FIBEL. WERDET SCHLAU. SEID SCHLAU. FORTSCHRITT ODER TOD. ARBEITET FÜR EIN BESSERES LEBEN – FÜR EUCH, FÜR EURE FREUNDE, FÜR EURE NACHBARN. IN DER ZUKUNFT LIEGT DAS GLÜCK – WENN WIR ERFOLG HABEN! Die Unterschrift lautete: »Lord Safelkty, Präsident von Stygia.«

Als Fremant laut vorgelesen hatte, sahen er und Bellamia sich düster an. »Ich bin schlau genug«, sagte sie. »Ich will nicht schlauer sein – nur weil es ihn glücklich macht …«

Im Gegensatz zu Bellamia fühlte sich Fremant von diesen Ermahnungen inspiriert. Sie vermittelten ihm den Eindruck, dass hier wirklich jemand versuchte, das Leben der Menschen zu verbessern. Aber er behielt diese Überlegung für sich.

Sie betraten das Gebäude, wo ein Pförtner ihnen den Weg zum Schalter der Neuzugänge wies, hinter dem eine lächelnde Frau stand.

»Wir müssen den Präsidenten sprechen.«

Das Lächeln der Frau verschwand keine Sekunde. »Sie können mit mir einen Termin vereinbaren. Ich muss sie jedoch darauf hinweisen, dass die Wartezeit bis zu zwei Wochen betragen kann.«

»Hören Sie, wir müssen ihn heute noch sprechen.«

»Das ist leider unmöglich.«

Bellamia stellte den Hund im Käfig auf den Tresen. Er projizierte ein schmales weißes Band. Auf dem Band schälte sich langsam ein blutiger, eingeschlagener Schädel heraus, der Kopf des Hundefroinders, der jenseits des Sees getötet worden war. Maden quollen aus dem offenen Mund. Die Schalterbeamtin fuhr entsetzt zurück.

»Ich … ich will sehen, was ich tun kann. Bitte …«

Ein paar Minuten später betraten sie die Diensträume des Präsidenten. Das Wartezimmer leitete ein Mann, den Fremant als Hazelmarr identifizierte, den Jugendlichen, der zurückgeblieben war, als sie aus Astaroths Gefängnis flohen. Hazelmarr war kein Jugendlicher mehr. Er hatte sich einen schmalen Schnurrbart wachsen lassen und die Haare kurz geschnitten. Er war eindrucksvoll gekleidet. Er gehörte zu den niedrigeren Rängen der Macht.

Er zog die Brauen etwas hoch, reckte die Schultern und zeigte so, dass er Fremant erkannt hatte.

»Wir haben einen Termin bei Safelkty«, sagte Fremant und ging zum Schreibtisch.

»Worum handelt es sich?« wollte Hazelmarr wissen. »Der Präsident ist gerade beschäftigt.«

»Ich bin in offizieller Funktion hier. Ich komme aus Haven City. Würdest du mich bitte anmelden?«

Hazelmarrs Gesicht blieb ausdruckslos. »Du kannst mit dem Insekt nicht da rein.«

Er deutete mit einem Stift auf den Hund.

»Mit dem Hund? Klar kann ich.« Er nahm Bellamia den Käfig aus der Hand und stellte ihn vor Hazelmarr auf den Tisch. Erschrocken projizierte der Hund eine Reihe brauner und grauer Fünfecke, die auf den Beamten zuschossen und erst verblassten, als sie sein Gesicht erreichten.

Hazelmarr kreischte. Er wich zurück und stolperte über seinen Stuhl, der zu Boden polterte. Hazelmarr landete rücklings auf dem Boden. Fremant nahm den Käfig und marschierte, gefolgt von Bellamia, schnurstracks in Safelktys Büro.

Safelktys Statur ähnelte erstaunlich der von Essanits, ein großer Mann mit einem Hang zur Fülligkeit. Auch sein Gesicht war breit und schlicht, was durch lebhafte blaue Augen wettgemacht wurde. Ein sauber gestutzter, graumelierter Bart schmiegte sich an den Kiefer. Er erhob sich ohne Hast von seinem Stuhl.

»Hatten Sie Ärger mit meinem jungen Beamten?« fragte er mit dem Anflug eines Lächelns.

»Nichts Ernstes«, erwiderte Fremant. Er stellte sich und Bellamia vor. Der Präsident war höflich und bot ihnen Stühle an. Fremant erklärte die Bedeutung des Hundes als praktisch Letzten seiner Art.

Safelkty hörte aufmerksam zu. »Danke, dass ihr ihn von so weit her gebracht habt. Das zeigt Initiative. Wir stecken die Kreatur in Cereb. Man sagte mir, dass die Maschine jetzt funktioniert. So können wir die Maschine und den Hund testen.«

»Ausgezeichnet.«

»Ich sehe, dass ihr eine Menge durchgemacht habt. Seid meine Gäste, solange ihr hier seid, und nehmt ein Zimmer in unserem Hotel Zur Neuen Hoffnung.«

8

Safelkty hegte offenkundig keine großen Erwartungen, was der Hund in dem Gedankenlesegerät preisgeben könnte. Aber er war Wissenschaftler genug, das Experiment wenigstens zu versuchen. Was Fremant anging, der war froh, dass hier endlich ein Mann regierte, der sich nicht wie ein Diktator benahm und sie freundlich empfangen hatte. Bellamia und ihm wurde ein bequemes Zimmer in dem neu erbauten Hotel zugewiesen.

Eine Mischung aus Erleichterung und Erschöpfung übermannte sie. Beide sanken in einen tiefen Schlaf, durch den sich diverse merkwürdige Träume zogen wie Geister aus Szenen alter Schauspiele.

Wieder befand er sich beinah mit einem Gefühl schwacher, blasser Zufriedenheit ob der damit verbundenen Vertrautheit, in dem prächtigen, verfallenen Gebäude des HARM mit seinem Flüstern und den Echos, wenn er sich bewegte, dem Murmeln der Vergangenheit gleich – einer Vergangenheit, die ihm nie wirklich gehört hatte.

Und die schwergewichtige Frau, die Beamtin mit der breiten Kehrseite, war bei ihm und erklärte ihm erneut, dass er gehen könne, wenn er das Entlassungsdokument unterschrieb. Sie hatte den Wagen hereingerollt und eine medizinische Untersuchung vorgenommen. Sie spritzte ihm zwanzig Kubik einer unbekannten Substanz in die Vene und hielt ihm eine neue Ausfertigung des Dokuments hin.

Die Spritze machte ihn schwindlig und euphorisch zugleich. Er unterzeichnete das Dokument, ohne es noch einmal durchzulesen. Ich, Paul Fadhil Abbas Ali …

Die Türhüterin stieß den Wagen beiseite, packte Paul am Arm und schubste ihn hinaus, als wolle er nicht gehen; vielleicht hielt sie seine Schwäche auch für Zögern. Oder sie glaubte, er spielte ihr etwas vor. Jedenfalls schien ihm, als würde alles wie in einer Pantomime ablaufen. Er ging nicht zur Tür seiner Zelle, er schwebte.

»Sie geben also zu, dass ich unschuldig bin«, sagte er verträumt murmelnd.

»Wenn Sie schuldig wären, würde man Sie hier als Gerippe in einem schwarzen Sack raustragen.«

»Schwarzer Sack, schwarzer Sack, ja.«

Dann befanden sie sich in einem Korridor und schwebten weiter. Er hörte weder seine noch ihre Schritte. Sie blieben vor einem kleinen Fach stehen, wo ihm seine Uhr und ein paar bedeutungslose Habseligkeiten ausgehändigt wurden. Der Beamte dort lächelte ihn an und schüttelte ihm sogar die Hand, als seien sie alte Freunde, dann sagte er lächelnd etwas, das Fremant nicht verstand.

Sie standen vor der Tür, der Tür zur Außenwelt. Die Wache öffnete sie ohne große Hast. Die Tür schwang lautlos auf. Und da lag die Straße, eine gewöhnliche Straße mit Bürgersteigen auf beiden Seiten und einem Zaun gegenüber. Und hinter dem Zaun eine ordentlich gestutzte Hecke in herbstlichen Farben. Alles ordentlich. Laternenpfähle säumten die Straße. Fahrbahnmarkierungen auf dem Asphalt. Ein Auto fuhr vorbei, ein alter Mann mit Hut führte langsam einen weißen Hund an der Leine spazieren. Er erkannte – und ihm fiel ein Stein vom Herzen – dass das hier nicht Syrien oder Usbekistan war, sondern London.

Auf der obersten Stufe drehte sich die Türhüterin um, schlang die Arme um ihn und küsste ihn zum Abschied auf die Lippen. Er spürte, wie ihre randlose Brille seine Wange berührte.

»Viel Glück, mein Lieber!« sagte sie.

Sie ging hinein. Die große Tür schloss sich hinter ihr. Er stand allein auf der Straße und spürte die kalte Luft auf seinem Gesicht.

Er rührte sich nicht. Er konnte nicht glauben, dass er frei war. Obwohl er jeden Moment erwartete, dass die Tür wieder aufgehen und sie ihn zurück ins Gefängnis zerren würden, entfernte er sich nicht.

Ein kleines Auto, ein uralter Renault Clio, näherte sich und blieb stehen. Ein junger Mann stieg aus und lief rasch auf Paul zu. Paul kannte ihn nicht.

»Ich bin Ned«, sagte er. »Entschuldige die Verspätung. Der Verkehr auf der Marylebone Road ist die Hölle. Die Regierung verteilt kostenlos Eiskrem an alle Einwanderer. Man hat angerufen und gesagt, dass du um elf hier abgeholt werden kannst.« Er sah auf die Uhr. »Mist, jetzt ist es zwanzig vor zwölf – entschuldige!«

Nichts ergab einen Sinn. Er murmelte die Worte »zwanzig vor zwölf« wieder und wieder vor sich hin, begriff sie aber nicht.

Sein Denkvermögen kehrte zurück, als Ned sagte: »Spring rein, Kumpel. Doris wartet auf dich.«

»Sie ist tot«, hörte er sich sagen.

»Nein, nein, Doris geht es gut. Ist alles in Ordnung?«

Aber bevor er seine Frau wiedersehen konnte, verschwand die ganze Szene. Er erwachte neben Bellamia im Hotel Zur Neuen Hoffnung und weinte vor Enttäuschung darüber, zurück zu sein.

Sie fanden sich mit dem Hund vor dem Regierungsgebäude ein. Nach langer Verzögerung kam Safelkty endlich und entschuldigte sich kurz. Zuerst verhielt er sich hochmütig und abwesend. Er gab einem Sekretär eine lange Reihe von Anweisungen und beachtete seine Besucher überhaupt nicht.

Wohlgefällig betrachtete er den eingesperrten Hund und begrüßte sie dann freundlich.

Seine Kutsche kam augenblicklich, ein elegantes Gefährt mit blitzenden Beschlägen, das zwei der höckerbewehrten, bunt mit Federn geschmückten Insektenpferde zogen.

»Wir arbeiten an pferdelosen Kutschen«, erklärte Safelkty, als sie einstiegen und Platz nahmen. »Die Motoren werden gerade entworfen. Habt ihr bemerkt, dass meine Kutsche schon die neuen Gummiräder hat?

Sitzen Sie bequem?« wandte er sich an Bellamia. Sein Benehmen war ausgesprochen freundlich, was Fremant und Bellamia sofort für ihn einnahm. »Wie hat es euch in dem Hotel gefallen?«

Safelkty verhielt sich höflich, solange er sich erinnerte, dass es von ihm erwartet wurde. Er sah sich als guten Politiker und guten Menschen. Ob seine Entscheidungen an sich moralisch waren oder nicht, ob Gutes oder Schlechtes daraus resultierte, kümmerte ihn nicht. Aus dem Grund hielten ihn die Menschen zurecht für tatkräftig.

Er wies auf die Entwicklungen und Verbesserungen in Stygia City hin, während sie durch die Stadt rollten.

»Das ist unsere Renaissance«, sagte er stolz.

Fremant kannte das Wort nicht, begriff aber den Zusammenhang und pries sich glücklich, einen so bemerkenswerten Menschen zu kennen.

»Ist euch aufgefallen, wie sauber hier alles ist?«

Fremant hatte es nicht bemerkt.

»Haven ist ein Dreckloch.« Safelkty winkte zum Fenster hinaus einem Passanten zu, als er das sagte.

»Eigentlich nicht …«

»Das wurde mir berichtet.« Er steckte den Daumen in den Bund seiner Jeans. »Es ist ein Dreckloch dank der Religion. Die Religiösen glauben, dass sie sterben und in eine sauberere Welt kommen, daher kümmert sie der Dreck in dieser nicht.«

»Mir war nicht klar, dass das so ist.«

»Es *ist* so, glaubt mir. Manche Leute denken, wenn man stirbt, kommt man an einen Ort, der Himmel heißt, voller Psalmen und Wolken – oder dass man fünfzig Jungfrauen ganz für sich allein bekommt. Lasst mich euch versichern, das ist Blödsinn.

Wenn man stirbt, fängt der Körper an zu stinken und verrottet zu einer ekligen Masse, klar? Das ist eine wissenschaftliche *Tatsache.*«

»Mmmm.«

»Ich sag's euch, der Körper zerfällt zu einer ekligen Masse. Kein Himmel, kein Paradies. Klar? Habe ich mich deutlich ausgedrückt?«

»Aber es heißt doch, dass die Seele –«

Safelkty blickte finster drein. »Ich brauche keinen Widerspruch. Ich *versichere* es euch.«

Bellamia stieß Fremant an, damit er den Mund hielt.

Nach ein paar Minuten erreichten sie die enorme Erhebung der *New Worlds.* Sie ragte über einem neuen Anbau auf, einem Gebäude mit einer Kuppel, das an das Schiff gebaut war. »Dort sind unsere neuen Werkstätten untergebracht«, erklärte Safelkty, als sie das verrauchte Innere betraten.

Männer arbeiteten an der Konstruktion von Motoren und Motorteilen. An den Arbeitsplätzen herrschte großer Lärm. Safelkty erklärte kurz, dass sie an etwas arbeiteten, das er »Baumsaft« nannte. Er sagte, dass Stygia einst, vor der Katastrophe, vor Jahrmillionen, dicht bewaldet gewesen war. Durch den Druck von Erde und Felsen hatten sich diese abgestorbenen Wälder in eine brennbare Flüssigkeit verwandelt; dieser Baumsaft wurde jetzt nutzbar gemacht.

Sie betraten das eigentliche Innere des Schiffs. Als sie in einem Fahrstuhl fuhren, hatte Safelkty wieder eine Erklärung für sie, und führte aus, dass seine Wissenschaftler glaubten, das Schiff sei von etwas angetrieben worden, das er »Grawietation« nannte.

Schließlich kamen sie zu einer Kammer, in der mehrere Männer und Frauen arbeiteten. Wie sehr sie auch in ihre Arbeit vertieft waren, als Safelkty den Raum betrat, standen alle stramm. Leutselig bestand er darauf, dass sie mit ihren bedeutsamen Arbeiten fortfuhren. Dann rief er einen alten Mann namens

Tolsteem zu sich, der seinen Besuchern den Zweck der Arbeiten erklären sollte.

»Also dies ist sozusagen Operation Cereb«, begann Tolsteem nervös. »Unter unserem Anführer, Lord Safelkty, haben wir große Fortschritte gemacht. Wir sind jetzt stark motiviert, was wir vorher nicht waren. Und nebenbei, ich glaube, wir sind uns schon einmal begegnet.«

Er blickte nervös zum Führer, ehe er fortfuhr. »Die Frage des Bewusstseins blieb durch alle Zeitalter ein Rätsel auf der Erde, das erst in jüngster Zeit gelöst wurde. Wir wissen jetzt, dass Bewusstsein zumindest teilweise ein chemischer Prozess ist – ein Zusammenspiel chemischer Reaktionen sozusagen – der in der Großhirnrinde stattfindet, wo sich die Chemikalien befinden, die diese Prozesse steuern. Selbst niedere Tiere, sogar Insekten ohne Großhirnrinde, haben Organe, in denen ähnliche neurale Prozesse ablaufen, und auch dort gibt es ein eingeschränktes Bewusstsein ...«

»Fass dich kurz mit deiner Vorlesung, Tolsteem«, sagte Safelkty. »Ich hab nicht den ganzen Tag Zeit.«

Tolsteem rang nervös die Hände, als er fortfuhr.

»Also, langer Rede kurzer Sinn: Wir haben ein Gedankenlesegerät entwickelt, mit dem wir die bewusste Aktivität aller Gehirne darstellen können, indem wir die chemischen Reaktionen kopieren, die durch sehr schwache elektrische Impulse ausgelöst werden. Dieser Prozess kann dann reproduziert und extern auf einem Bildschirm dargestellt werden ...«

»Was wir jetzt vorführen«, sagte Safelkty und schnippte ungeduldig mit den Fingern. Andere Assistenten hatten den gefangenen Hund aus dem Käfig geholt und in die Cereb-Maschine geschnallt. Der Hund projizierte in seiner Nervosität kleine, falterartige Signale, die zu glimmen schienen und wieder erloschen, kaum dass sie erschienen waren.

»Es kann nicht sprechen, da es keine Stimmbänder besitzt«, sagte Safelkty. »Stattdessen erzeugt es diese Bilder. Ich glaube nicht, dass es uns etwas Nützliches über die Kultur der Hundefroinder mitteilen kann.«

Als die Maschine eingeschaltet war, gab sie ein kontinuierliches Summen von sich. Einige der großen Scheinwerfer wurden gelöscht, aber der Bildschirm blieb leer. Ein Techniker drehte an verschiedenen Reglern, beobachtete Skalen und lauschte sorgfältig auf die geringsten Veränderungen der Tonfrequenz.

Der Bildschirm wurde hell. Eine Reihe Symbole, die fallenden Blättern ähnelten, zogen darüber hinweg. Dann ergab sich ein zusammenhängendes Bild.

Die Zuschauer sahen so etwas wie einen Tanz. Nackte Menschen, männliche und weibliche, tänzelten auf einer Lichtung. Ihre Bewegungen waren schwerfällig. Sie machten einen freudlosen Eindruck. In einem Halbkreis saßen auf Stühlen fünf der hundeartigen Wesen, und beobachteten die Vorstellung. Nach einer Weile bewegten sie die Schwanzgliedmaßen und verschränkten die kleinen Finger ineinander – wahrscheinlich eine Form von Applaus, denn die Tänzer hielten daraufhin inne und verbeugten sich vor ihrem Publikum.

Wirre Bilder folgten. Dann trat ein anderes Bild klar hervor. Die kleinen Menschen arbeiteten, bauten eine Art dreieckige Hütte, eine Form, die Fremant kannte. Sie bauten schnell, als hätten sie es geübt, während andere Menschen Stöcke und Stroh für das Gebäude herbeischleppten. Zwei Hundewesen sahen von einer Böschung aus zu. Als die Hütte eingedeckt und fertig war, schmückten die Menschen sie mit gelben und blauen Blumen. Dann traten sie zurück und standen still. Ein großes Hundewesen, dessen Körper mit den gleichen gelben und blauen Blumen geschmückt war, trat herbei. Es nickte nach links und rechts und strahlte dabei eine Folge komplizierter Signale ab, worauf sich die Menschen verneigten. Dann betrat es die Hütte.

»Halt!« befahl Safelkty mit lauter Stimme. »Beendet diesen Unsinn! Das ist eine Fälschung!«

Tolsteem, der Augenblicke zuvor noch so nervös und demütig gewirkt hatte, widersprach mit scharfer Stimme.

»Natürlich ist das keine Fälschung! Erlauben Sie uns, weiterzumachen, Meister. Das ist äußerst interessant.«

»Ich befehle euch, Cereb abzuschalten!«

Tolsteem richtete sich auf und bot seinem Anführer Paroli. »Nein, Sir, das müssen Sie sich ansehen. Sie sind Wissenschaftler. Sie respektieren die Wahrheit!«

»Ich respektiere diesen Blödsinn nicht.«

»Sir, dieser ›Blödsinn‹ – wie Sie ihn nennen – zeigt deutlich, dass Stygia einst eine Kultur besaß, in der die Pygmäen der Spezies, die wir fälschlicherweise als ›Hunde‹ bezeichnen, untergeordnet waren. Wir müssen uns dieser Tatsache stellen.«

»Sie gehen der Einbildung dieses elenden Köters auf den Leim!«

»Nein, Sir. Wir sehen eine Aufzeichnung seiner Erinnerungen aus vergangenen Zeiten. Sie vergessen, dass wir auf einem Planeten gestrandet sind, auf dem Insekten die vorherrschenden Spezies sind und in vielen intelligenten oder halbintelligenten Formen vorkommen.

Die menschenähnlichen Spezies hier hatten nicht soviel Glück. Die ›Insekten‹, wie wir sie nun einmal nennen müssen, hatten wahrscheinlich einen Vorsprung von vielen Millionen Jahren. Warum hätten wir annehmen sollen, dass der große Impuls des Lebens im Universum immer den gleichen Weg wählt? Ich sage, sehen wir uns das weiter an! Die Wahrheit ist ein bitteres Kraut, ein Heilmittel gegen falsche Vorstellungen – und Stolz!«

Safelkty schien vor unterdrückter Wut zu kochen, entgegnete aber nichts. Mit einer schroffen Geste gab er dem Techniker das Zeichen, fortzufahren.

Es folgten weitere Szenen. Jede deutete darauf hin, dass Tolsteems Einschätzung stimmte. Die Hundewesen hielten die kleinen Menschen als Sklaven und Spielzeuge. In einer Szene wurden sechs Humanoide von ihren Herren wegen eines Verbrechens verurteilt. Sie stellten sich im Kreis auf, verschränkten die Arme um die Schultern und sahen nach innen auf den Boden. Dann starben sie, indem sie ihre Herzen durch Willenskraft anhielten. Die Zuschauer beobachteten dieses merkwürdige Verhalten schweigend, beunruhigt.

Fröhlichere Szenen folgten. Neugeborene Hundewelpen spielten schwanzwedelnd unter den Menschen. Menschen kuschelten mit Hundewelpen und liefen mit ihnen im Arm herum. Dann planschten Menschen und Hunde zusammen in einem Fluss. Die Hundewesen waren sich ihrer Überlegenheit so sicher, dass sie sie gar nicht betonen mussten. Diese Beispiele von fröhlichem Spiel rührten die Zuschauer in großem Maße an.

Eine andere Szene zeigte wieder eine Art Feier. Hunde mischten sich unter die Menschen, tollten mit ihnen herum und umrahmten die Szenerie mit Bändern leuchtender Symbole in vielen faszinierenden Formen – »Ach, dass muss ihre Art von Musik sein«, rief Bellamia –, als einige Riesen auftauchten. Die Riesen wurden nicht genau wahrgenommen, so dass man ihre Gestalten nur verzerrt sah, aber allen Zuschauern war klar, wer diese Monster waren. Die Monster stürmten in einem wilden Ansturm voran und töteten wahllos alle und jeden. Nur wenige Hunde, die um ihr Leben liefen, entkamen dem Blutbad.

»Wie grausam!« rief Fremant.

»Ja, wir müssen viel verantworten«, sagte Tolsteem und schaltete die Maschine aus.

Safelkty drehte sich abrupt um und ging.

Der alte Tolsteem und seine Kollegen begannen eine lebhafte Diskussion darüber, was sie gesehen hatten. »Man kann sich vorstellen, wie ein Insekt über Generationen hinweg ein volles Bewusstsein entwickelt. Die Tatsache, dass es einem irdischen Hund ähnelt, ist dabei vollkommen irrelevant. Die Hirnströme, die wir gemessen haben, ähneln verblüffend denen, die wir von menschlichen Gehirnen kennen«, sagte der alte Gelehrte.

»Da sie keine Lungen besaßen, konnten diese riesigen Insekten auch nicht sprechen«, bemerkte ein anderer. »Darum haben sie eine Form der Kommunikation durch visuelle Signale entwickelt.«

»In vieler Hinsicht eine elegante Lösung«, stimmte ein dritter zu.

»Eine notwendige Reaktion auf die Umwelt«, sagte der junge Techniker, der die Maschine bedient hatte. »Das Gemisch der von ihnen erzeugten Frequenzen bewegt sich üblicherweise im Bereich von zwanzig bis vierzig Hertz.«

»Können wir also sagen, dass diese Hundewesen über ein vollständiges Bewusstsein verfügen?« fragte Tolsteem. »Das würde bedeuten, dass verschiedene Bereiche ihrer Gehirne vernetzt sind, und stets für den willentlichen Zusammenschluss der Hirntätigkeiten bereit, den wir Bewusstsein nennen. Soweit wir wissen, besaßen auch irdische Insekten ansatzweise solche Systeme.«

»Im Großen und Ganzen bedeutet das eine eklatante Umkehr unserer bisherigen Überzeugungen.« Er kicherte. »Man kann verstehen, warum unser geliebter Führer erbost davonlief …«

»Es dürfte interessant werden, das Gehirn dieser Kreatur zu sezieren.«

Er deutete auf den Hund, der noch in die Maschine geschnallt war und jetzt ziemlich mitgenommen wirkte.

Fremant fuhr erschrocken auf. »Sie müssen ihn zurück in die Wildnis lassen! Sie haben gerade bewiesen, dass er uns intellektuell ebenbürtig ist – und der Letzte seiner Art. Sie müssen ihn freilassen!«

»Oh, das können wir nicht«, sagte Tolsteem mit einem demütigen Lächeln. »Er ist viel zu wertvoll für uns. Wir sind Wissenschaftler, mein Freund.«

Als Fremant und Bellamia das Schiff verließen, um ins Hotel zurückzugehen, nahm Bellamia seinen Arm.

»Gräm dich nicht. Das musste so kommen. Ging nicht anders. Wir haben alle umgebracht. Was macht schon einer mehr? Sei nicht wütend. Lass uns was essen.«

»Du begreifst doch, dass durch die menschliche Grausamkeit ein ganzes kleines Universum vernichtet wurde, oder?«

Sie gab besänftigende Geräusche von sich. »So sind die Menschen eben, Liebling. Es ist sinnlos, sich darüber zu grämen. Das bringt nichts. Ich finde etwas Leckeres zum Essen für dich.«

Fremant lachte wild auf. »Zum Zeusel! – Und so sind die *Frauen* eben!« Aber er begleitete sie.

Er sah ein, dass das, was sie sagte, vernünftig war. Trotzdem wollte er sich nicht damit abfinden.

Er musste seine Unzulänglichkeit akzeptieren. Stärkere als er hatten ihn gelenkt. Er kannte die Geisteskräfte des Hundevolks aus eigener Erfahrung; warum hatte er zugelassen, dass sie dieses spezielle Exemplar in einen Käfig sperrten? Warum hatte er es kritiklos nach Stygia City gebracht, damit Experimente an ihm durchgeführt wurden? Er hasste sich dafür.

Er dachte, er hätte »richtig« gehandelt. Stattdessen verleugnete er das Gute und Ehrliche in seinem Wesen. Die Einsicht hielt ihn in dieser Nacht auf der Matratze wach. Sosehr er sich hin und her warf, er konnte sich einer schmerzhaften Erkenntnis nicht entziehen: Unter dem Druck des Alltagslebens hatte er, einst ein aufrechter und ehrlicher junger Mann – zumindest hielt er sich dafür – die Lüge zugelassen. Die Lüge hatte sich ausgebreitet wie Trockenfäule in den Wänden eines alten Hauses, bis es in sich zusammenstürzt.

Gegen seinen Willen dachte er an Doris, die freundliche, vertrauensselige Frau, die er geheiratet hatte. Wie geringschätzig er sie doch behandelt hatte, dabei war diese Geringschätzung die ganze Zeit nur ein Ausdruck des eigenen Minderwertigkeitsgefühls gewesen. Ihm war so wichtig, der westlichen

Welt zu zeigen, dass er nicht … dass er kein Moslem war. Also machte er sich selbst etwas vor, nahm westliche Gewohnheiten an, heiratete eine westliche Frau, schrieb sogar einen Roman im Stil des Westens.

Er setzte sich verblüfft im Bett auf, weil er plötzlich klar sah. Diese beiläufigen Zeilen in dem Roman – über das Attentat auf den Premierminister – seine Peiniger hatten im Grunde recht gehabt. Sie standen für seinen realen, unterdrückten Hass auf das, was er tat. Er hatte unter dem Druck, »richtig« zu handeln, immer seine wahre Natur versteckt …

Die Müdigkeit erlöste ihn schließlich von seinen Gedanken.

9

Jemand rüttelte an seiner Schulter und sagte sanft: »Aufwachen!«

»Ich habe nicht geschlafen«, sagte er.

»Sie können jetzt gehen. Es ist alles klar.«

Aber nichts war klar. Er bewegte sich in einem Nebel. Seine Kerkermeister wirkten freundlich. Einer half ihm in das Jackett. Die Frau, der er zuvor begegnet war, legte ihm das Entlassungspapier vor. Er unterzeichnete ohne nachzudenken.

»Braver Junge«, sagte sie und machte sich mit dem Schriftstück in ihrem breitärschigen, watschelnden Gang davon.

Er erwähnte den Tod seiner Frau nicht. Man führte ihn einen vertrauten Korridor entlang. Dort klebte ein Mann in einer Schürze gerade Plakate an die Wände. Auf einem stand: WACHT AUF! GOTT EXISTIERT NICHT. Auf dem Plakat, das gerade angebracht wurde, hieß es: NUR IDIOTEN UND ABSCHAUM GLAUBEN, DAS ALLAH KEIN IDIOT WAR. UND KEIN ABSCHAUM.

An dem kleinen Schalter am Ende des Korridors händigte man ihm seine belanglosen Habseligkeiten wieder aus, einschließlich des biometrischen Ausweises.

»Alles Gute, Sir!« sagte der Mann hinter dem Schalter. »Schönen Tag noch.«

Ein anderer Wärter führte ihn durch mit Codekarten gesicherte Türen zu einer bewachten Außentür. Als ein Mann sie aufschloss, fragte Paul: »In welchem Land sind wir?«

»Das sehen Sie gleich«, sagte der Mann feixend. Er öffnete die Tür vielleicht einen halben Meter und stieß den entlassenen Gefangenen aus dem Gefängnis. Hinter ihm fiel die Tür schwer ins Schloss.

Der Anflug einer leichten Bö, das Blut in seinem Kopf, die Unsicherheit in seinen Beinen, die Angst vor etwas Unbestimmtem.

Er war erschlagen vom Tageslicht, überwältigt von der frischen Luft, dem reinen Gefühl in der Lunge. Er setzte sich hastig auf die Stufen.

Auf seiner Seite der Straße standen imposante Reihenhäuser. Auf der anderen ein schwarz gestrichener Eisenzaun. Dahinter eine Art Park, wo Leute zum Spaß Cricket spielten. Er hörte das vertraute Geräusch, wenn der Ball den Schläger traf.

An einer Seitenstraße verkündete ein Straßenschild schwarz auf weiß: *Canterbury Walk*. Jetzt bestand kein Zweifel mehr, dass er sich in London befand.

Die Erleichterung war beträchtlich. »London«, flüsterte er. Eine Stadt, die er einst geliebt hatte, die in seiner Einbildung einmal seine Heimat gewesen war.

Er sah zu dem Gebäude auf, in dem er gefangengehalten worden war. Die eindrucksvolle Stuckfassade zeigte deutliche Spuren der Vernachlässigung. Teile eines Balkons waren abgebrochen, Steine zerbröckelt, Fenster, die Augen eines Hauses, vernagelt.

Ein unauffälliges Messingschild an einer Säule der Gefängnistür fiel ihm auf. Er schlurfte hin und las es. In geschwungenen Buchstaben stand dort: HOSTILE ACTIVITIES RESEARCH MINISTRY.

Wieder sackte er auf den Stufen zusammen. Er versuchte, darüber nachzudenken, wie sich der allgemeine Zustand der Welt in so wenigen Jahren so sehr verschlechtern konnte, aber zu zusammenhängenden Gedanken war er nicht fähig.

Obwohl er in der Ferne Polizeisirenen hörte, war die Straße hier ruhig. Nur wenige Autos fuhren vorbei. Es genügte ihm, zusammengesunken auf den Stufen zu sitzen, ohne sich den nächsten Schritt zu überlegen, und einfach nur die frische Luft zu atmen.

Ein Auto kam von links und hielt am Straßenrand. Ein gutgekleideter junger Mann ungefähr in Pauls Alter sprang heraus und lief auf ihn zu.

»Tut mir leid, dass es so lange gedauert hat, Ali!« sagte er, als er Pauls Hand ergriff. »Salaam Aleikum! Diese Straße wird am anderen Ende von der Polizei abgeriegelt. Es hat weitere Anschläge von Extremisten gegeben. Ich habe gehört, mehrere Frauen sollen dabei umgekommen sein. Wie geht es dir, ist alles in Ordnung? Kannst du laufen?«

Ali – Paul! – war vollkommen verwirrt. Hatte er das Gefängnis nicht schon einmal verlassen? – Als, so unwahrscheinlich das schien, die Hausmeisterin mit der randlosen Brille ihn zum Abschied küsste? War er nicht schon einmal abgeholt worden?

Und jetzt noch einmal – brachen seine Inkarnationen zusammen, und damit seine ganze komplexe Persönlichkeit?

»Wo ist Bellamia?« brachte er heraus.

»Du bist jetzt da raus. Ich muss dich schnell nach Hause bringen. In der Stadt herrscht Chaos.«

Paul ließ sich auf die Beine helfen. Er erkannte in dem Mann einen Freund, konnte sich aber nicht an den Namen erinnern.

»Wie lang war ich weg?« fragte er schwach, aber der Freund erzählte, wie schwer die Bombenattentate es der moslemischen Bevölkerung machten. Er konnte nicht sagen, wen er mehr hasste, die Briten oder die Extremisten. Als er bitter auflachte, spritzte Speichel aus seinem Mund.

»Lass uns von hier verschwinden«, sagte er und schob Paul auf die Rückbank seines Wagens, den Paul als alten Volvo identifizierte, obwohl er sich immer noch nicht an den Namen seines Retters erinnern konnte.

»Wo fahren wir hin?« fragte er.

Der Retter antwortete nicht, weil er ganz damit beschäftigt war, auf der Straße zu wenden und in die Richtung zu beschleunigen, aus der er gekommen war. Sie fuhren am Gebäude der Paddington Station vorbei, das von einer starken Explosion beschädigt worden war. Flammen loderten hoch auf, trotz der Bemühungen der Feuerwehr. Feuerwehr-, Polizei- und

Rettungswagen verstopften die umliegenden Straßen. Hubschrauber knatterten über sie hinweg.

Eine Schar Schaulustiger stand in der Nähe hinter einer Polizeiabsperrung auf dem Bürgersteig. Fast lautlos beobachteten sie die Feuersbrunst. Sanitäter trugen Menschen vorbei. Die Bishop's Bridge Road, die am Ort des Attentats vorbeiführte, war gesperrt.

Der Volvo wurde angehalten. Die Polizisten waren zwar höflich, aber schroff und kurz angebunden. Sie überprüften die Personalausweise und befragten beide Männer, dann mussten sie aussteigen und wurden durchsucht. Danach durften sie weiterfahren.

»Tut mir leid, dass wir Sie aufhalten mussten, Sir«, sagte einer höflich.

»Verdammter Lügner«, sagte der Fahrer leise, als er wieder aufs Gas trat.

Sie fuhren durch das Straßenlabyrinth von West Kilburn nach Kensal Town. Paul wurde schwindlig vom Tempo des Wagens und den vielen Richtungswechseln. Er schloss die Augen und ließ seinen Gedanken freien Lauf. Sein Kopf schmerzte unerträglich.

Als er die Augen wieder aufschlug, standen sie am Southern Drive vor einem adretten Vorstadthäuschen mit einem Lorbeerbaum in dem winzigen Vorgarten. Sein Freund half ihm aus dem Auto.

»Wo sind wir?«

»Du bist zu Hause, Dummkopf! Doris wartet auf dich!«

»Doris?«

Wie so häufig bei Menschen, die Kranke versorgen, machte sich der Fahrer nicht die Mühe zu antworten, sondern hastete mit ihm zur Eingangstür. Er lehnte Paul an das Treppengeländer und klingelte. Ein Kopf schob sich aus einem der oberen Fenster.

»Ach Palab, du bist es. Ihr seid also sicher zurück.« Die Stimme klang erleichtert. »Ich komm runter.«

Nach einer Minute hörte man, wie Riegel zurückgeschoben wurden, dann ging die Tür auf. Da stand Doris – eine veränderte Doris, dicker und mit weißen Strähnen im Haar, aber immer noch Doris. Eine Doris mit dunklen Ringen unter den Augen.

»Paul, mein Liebling! Du bist wieder da! Dem Himmel sei Dank!« Doris war ihrem Mann zuliebe zum Islam konvertiert, hatte aber einige ihrer irischen Ausdrücke beibehalten.

Paul fiel ihr in die Arme und küsste sie kraftlos.

»Heilige Mutter Gottes, wie du stinkst, Liebling! Komm rein! Was im Himmel haben die dir angetan?«

Die Sadisten im Gefängnis hatten also gelogen, als sie behaupteten, sie sei tot, damit er sich noch schlechter fühlte …

»Allah weiß, was wir durchgemacht haben. Eine furchtbare Zeit, in der wir leben. Wenn du wüsstest, was ich durchmachen musste, Paul, Liebling … Es war entwürdigend. Ich hab mich noch nicht ganz erholt. Der kleinste Anlass, und ich zittere wieder wie Espenlaub. Ich bezweifle, dass ich mich je wieder davon erhole. Komm und setz dich, du Armer, ich mach dir eine schöne Tasse Tee. Möchtest du dich hinlegen?«

Sie führte ihn in das vollgestopfte Wohnzimmer. Vor dem Fenster sah er das Dach eines Zugs, der langsam über die Bahngleise rollte.

Der Freund, den sie Palab nannte, pflichtete Doris bei. »Es war grauenhaft. Wir haben alle Angst, dass die uns verhaften. Die Bullen sind so schrecklich rassistisch – sie haben es auf uns abgesehen.« Zu Paul gewandt fügte er hinzu: »Du erinnerst dich doch sicher noch an die nette, harmlose Familie Socrani, die bei uns in der Straße wohnte? Die Regierung hat sie jetzt gewaltsam in den Irak abgeschoben, nur weil er mit einem gefälschten Pass eingereist war.«

»Socrani war Kurde«, erinnerte Doris ihn.

»Stimmt, dass er ein verdammter Kurde war. Ich mochte ihn trotzdem.«

»Wie lange war ich weg, Doris?« fragte Paul zaghaft.

»Ich sag dir, Ali«, sagte Palab und ging über die Frage hinweg. »Die Situation ist für uns alle schlimm. Du brauchst einen Arzt, das sehe ich. Wir brauchen alle therapeutischen Beistand …«

»Du brauchst erst mal ein Bad«, sagte Doris, die Hände in die Hüften gestemmt. »Ich hatte 'ne Menge Therapien. Genützt hat es so gut wie nichts. Und ich nehme immer mehr zu. Ich esse, um mich abzulenken, und kann einfach nicht aufhören. Kirschkuchen, Madeirakuchen mit Schlagsahne, und so weiter. Es scheint, als brauche ich das. Besser als der Alkohol … Davon bin ich jetzt runter, Liebling. Aber sei es, wie es will, mit Allahs Hilfe bist du jetzt gesund und munter wieder da. Ruh dich nur einen Moment aus, ich bring dir eine schöne Tasse Tee und ein Raider. Du magst doch Raider, oder?«

»Wir kaufen die Packungen billig von Mrs. Singh«, erklärte Palab. »Ihr Mann ist bei den Stadtwerken und bekommt sie anscheinend günstig aus dem Lagerverkauf. Was Lebensmittel angeht, kommen wir ganz gut klar, das muss ich sagen. Jeder hier hilft dem anderen. Es gibt ein Paar Bullen, die jetzt regelmäßig Streife gehen. Du wirst sie kennenlernen. Für ihren Job gar keine üblen Kerle. Einer ist ein Schwarzer, Kelvin. Der hat Verständnis für unsere Lage.«

»Könnte ich etwas Wasser haben, ja?« fragte Paul. »Das ist der Schock, frei sein, dich am Leben und gesund vorzufinden, Doris …«

»Am Leben, aber nicht gesund«, sagte sie bestimmt. »Leg dich aufs Sofa und schlaf dich aus. Ich bring dir noch ein Kissen.«

Er seufzte. Er konnte nicht glauben, dass er frei war. Er schloss die Augen.

Wasser lief über sein Gesicht. Er ließ es laufen. Er würde mit Freude ertrinken, wenn nur dieses kühle Wasser nicht versiegte. Es lief über seine Stirn, die geschlossenen Augen, an der Nase entlang, über die Lippen und am Kinn hinunter in sein Hemd.

»Du bist wach, Liebling. Ich weiß es. Mach die Augen auf ...« Das war nicht die Stimme von Doris. Eine dunklere Stimme, aber ebenso teuer. »Bellamia!« rief er. Als er die Augen aufschlug, hörte sie auf, ihn mit Wasser zu übergießen und drückte ihm einen Kuss auf die nassen Lippen.

»Du hattest einen Schock, Liebling! Steh auf und geh etwas herum.« Sie schob eine Hand unter seinen Arm und half ihm auf.

Fremant lachte unsicher. »Natürlich hatte ich einen Schock. Wir hatten alle einen Schock. Begreif doch, dass wir Menschen eine ganze Zivilisation ausgelöscht haben. Der Kampf der Kulturen ... Ist das nichts?«

Bellamia seufzte schwer. »Zum Zeusel, wieso liebe ich dich bloß? Kampf der Kulturen, so ein Unsinn. Freu dich des Lebens!«

»Islam und Christentum.«

»Du redest Unsinn.«

»Ach Bellamia, wie ich deine blinde Vernunft liebe.«

»Du kannst mich mal!« Aber irgendwie war sie plötzlich nicht mehr bei ihm. Ihre Stimme kam aus weiter Ferne, nebst anderen Stimmen.

Er hielt sie auf Armeslänge von sich, betrachtete sie und lächelte.

»Hör zu«, sagte sie. »Du willst etwas tun, Free? Dann geh und sprich auf den Dorfplätzen zu den Leuten. Rede zu ihnen! Du kannst zumindest dafür sorgen, dass sie über diese große Schuld nachdenken, oder?«

Er dachte, er würde ihrem Vorschlag folgen.

Ein weiteres Lichtaus stand bevor. Sie schmiegten sich in ihrem kleinen Zimmer aneinander und schliefen die meiste Zeit. Wenn er wach war, entwarf Fremant ein Plakat und überlegte sich, was er sagen würde, wenn er zu den Menschen sprach.

Als das Tageslicht zurückkehrte, begab er sich zum zentralen Platz der Stadt. Bellamia begleitete ihn. Diesmal äußerte sie ihre Zweifel und Besorgnis.

»Ich hätte dich nicht überreden sollen. Die bringen uns um.«

Sie gingen zu dem Platz, der seit der neuen Aufteilung Platz Eins hieß und den zu dieser frühen Stunde viele Fußgänger auf dem Weg zur Arbeit überquerten.

Auf seinem Plakat standen die Worte: MENSCHLICHE RASE – SCHULTIG?

Fremant sprach alle Passanten an und fragte, ob sie von den Verbrechen wussten, die in ihrem Namen durch den Genozid an den Hundefroindern begangen worden waren.

Eine hagere Frau, die ein kleines Kind undefinierbaren Geschlechts an sich gedrückt hielt, blieb einen Augenblick stehen und hörte zu.

»Na gut«, sagte sie, »vielleicht haben wir die alle abgemurkst, aber das mussten wir. Jetzt ist es vorbei, also warum sollen wir deswegen einen Aufstand machen? Am Besten vergessen wir es einfach.«

Eine weitere Frau folgte der ersten. »Verschwinde!« rief sie. »Wir wollen das nicht hören!«

»Wir mussten sie töten, Dummkopf«, sagte ein bulliger junger Mann mit nackten, muskulösen Armen, »sonst hätten sie uns getötet.«

Viele Leute machten ähnliche Bemerkungen.

Nur ein einziger Mann, der hinkte und am Stock ging, sagte: »Du hast recht, Freund. Wir Menschen sind eine brutale Bande. Aber warum bringst du dich in Gefahr, indem du das laut aussprichst?«

Bellamia hängte sich an Fremants Arm. »Er hat recht, Liebster. Du wirst nichts erreichen, wenn du hier predigst. Es war mein Fehler. Lass uns gehen!«

Aber in diesem Augenblick kam Tolsteem vorbei, den ein kleiner Junge führte. Er blieb stehen und studierte das Plakat.

»So schreibt man ›schuldig‹ nicht, junger Mann.«

»Sonst hat sich niemand beschwert.«

»Das heißt noch lange nicht, dass du es richtig geschrieben hast. Vielleicht glaubst du als einziger, dass wir Stygier des Genozids schuldig sind. Ich persönlich glaube es nicht, aber das heißt nicht, dass es falsch ist, dagegen zu protestieren.«

»Dann unterstützen Sie mich?« fragte Fremant eifrig.

Tolsteem schüttelte den Kopf, dass seine strähnigen Locken bebten. »Du meinst, Gras ist grün? Die Farbe ist nur ein Quanteneffekt. Komplexe Interaktionen zwischen Chlorophyll-Molekülen im Gras erzeugen Licht einer bestimmten Wellenlänge. Unsere schlauen kleinen Gehirne deuten diese Wellenlänge als ›grün‹.«

»Was hat das damit zu tun?«

»Alles! Was du als Schuld deutest, sieht der Rest von uns als Überleben.«

»Aber wir sind schuldig.«

»Vergiss es, mein Junge! Wir müssen so handeln. Nur die Stärksten überleben. So funktioniert das System nun mal.«

Der Junge an seiner Seite wurde ungeduldig. »Können wir nach Hause, Opa?«

Während sie miteinander diskutierten, marschierten vier starke, junge Männer – darunter Tunderkin, zu Astaroths Zeiten Leibwächter und an der Narbe auf der linken Wange zu erkennen – schnellen Schrittes herbei. Sie waren mit Stöcken bewaffnet. Jeder Mann trug ein Abzeichen auf der dunklen Tunika.

»Ihr habt kein Recht, euch hier aufzuhalten!« brüllte einer beim Näherkommen.

»Ihr erregt öffentliches Ärgernis!« rief sein Doppelgänger.

»Ich wünsche dir noch einen schönen Tag«, sagte Tolsteem und entfernte sich hastig vom Ort des Geschehens. Der kleine Junge blieb an seiner Seite, sah aber erwartungsvoll zurück.

»Ich habe das Recht, hier zu sein!« sagte Fremant. »Ich spreche ein ernstes Problem an.«

»Das ist eine Menge Dammaratz«, erwiderte der Mann und schwenkte seinen Schlagstock. »Und du dammaratzt dich besser!«

»Geh mir aus dem Weg, du Grobian! Ich habe jedes Recht ...«

Der exakt gezielte und mit aller Kraft geführte Stock traf ihn genau in den Nacken, direkt hinter dem Schädelansatz wo er in einer anderen Welt schon einmal getroffen worden war.

Ihm schien, als höre er Glocken, als er zu Boden ging, als würde ein Funkenstrom ihm aus dem Nichts in die Dunkelheit folgen.

Das Haus am Southern Drive war ausgebucht. Doris Fadhill besserte ihr schmales Einkommen als Teilzeitkraft im kommunalen Jugendheim damit auf, dass sie das Zimmer zur Straße im Obergeschoss untervermietete.

Als Paul erwachte, setzte er sich auf, saß eine Weile reglos da und war einfach nur froh, zu Hause zu sein. Er stand auf, um sein Jackett an einen in ein Holzbrett geschraubten Haken zu hängen, aber das Holz am einen Ende des Bretts war weggebröselt.

»Gib dir keine Mühe«, sagte Palab. »Das liegt an den verdammten Holzwürmern. Gib deine Jacke her.« Er hängte sie über eine Stuhllehne. Doris kam aus dem hinteren Teil des Hauses gelaufen, warf die nackten Arme um ihn, küsste ihn weinend. Sie umarmten sich fast wie Ringer. Erst allmählich koordinierten sie die Umarmung und lächelten sich an.

Sie nahm ihn mit in die Küche und goss ihm ein Glas Special Brew ein.

»Tee?« fragte er. Ihm fehlte Bellamia.

Sie sah ihn verwirrt an. »Dir geht es nicht gut. Ich muss dich ins Bett stecken und mich um dich kümmern.«

Doris erklärte, dass außer ihr noch Palab und seine gebrechliche Mutter, die alte Fatima, in dem Haus wohnten. Fatima und Palab waren vor vielen Jahren aus dem Irak geflüchtet. Fatima ging auch jetzt noch von Kopf bis Fuß verschleiert und sprach kein Englisch.

Einmal in der Woche machte sie sich mit Hilfe ihres Gehstocks auf den Weg zur Moschee in Kentish Town. Manchmal begleitete Doris die alte Frau bis zu den Toren der Moschee. Niemand tat ihr etwas.

Fatima traf sich in der Moschee mit einer alten Freundin. Die beiden saßen den größten Teil des Tages in einem Cafe in der Nähe über zwei kleinen Tassen Kaffee. Die Freundin war eine starke Raucherin und gab Fatima manchmal eine Zigarette. Sie behauptete, sie seien direkt aus dem Iran importiert.

Diese Freundin erzählte von ihrer Tochter, die kurze Röcke und keinen Schleier mehr trug. Sie machte Karriere bei einem regionalen Radiosender. Oder sie sprachen über das Leben in dem Dorf, in dem sie aufgewachsen waren, über die Hitze dort, den seltenen Regen – anders als in diesem schrecklichen Land hier – und über die Hühner, die sie gehalten hatten. Die Freundin war als Kind sehr krank gewesen. Als Folge davon war ihre einzige Tochter eine schwere Geburt gewesen, ihre inneren Organe waren mit dem Baby herausgekommen. Wenn man sich vorstellte, dass genau dieses Mädchen jetzt auf den Schleier verzichtete und so kurze Röcke trug, dass man fast ihre *puccta* sehen konnte. Es war wirklich weit gekommen. Darüber waren sich beide einig.

Abgesehen von diesem wöchentlichen Ausflug, verließ Fatima nur selten ihr Zimmer in dem Haus am Southern Drive, außer um sich abends unten zu ihnen zu setzen und mit ihnen zu Abend zu essen. Sie aß nur mäßig, weil sie englisches Essen wie Spaghetti oder Curryhuhn im Gegensatz zu den anderen nicht mochte..

»Sie ist ein bisschen anstrengend«, sagte Doris fröhlich, »aber sie trägt ihren Teil zur Miete bei.«

Das Abendessen war beendet, Paul und seine Frau wuschen in der kleinen Küche ab. Palab war ausgegangen und besuchte Freunde.

Fatima saß im vorderen Raum am Fenster und starrte blicklos auf die Straße hinaus. Mit einer Klauenhand hielt sie sich an der Gardine fest und schüttelte sie im Takt der Krankheit, die sie langsam zerstörte. Der Fernseher hinter ihr plapperte unbeachtet vor sich hin.

Während er das Geschirr abtrocknete, versuchte sich Paul zu erinnern, was bei seinem Besuch in der örtlichen Klinik gesagt worden war, wo Paul einen Termin bei einem Doktor Roger Thomas hatte. »Er hat keinen Nachnamen«, erklärte Paul. »Er war freundlich und rücksichtsvoll und weise. Ein guter Zuhörer. Ich hab dir schon oft erzählt, wie mein Vater mich verprügelt hat. Eines Tages warf er mich aus dem Fenster in den Hof.«

»Oh Gott, dieser furchtbare Mann«, rief Doris.

Paul wurde still und schwelgte in seiner Verbitterung.

»Er hatte Macht über mich«, sagte er dann. »Alle Menschen mit Macht, egal wie sie sich zu Anfang geben, werden mit der Zeit hassenswert.«

Ihm gefiel die Formulierung, als er sie aussprach, aber Doris ignorierte sie einfach.

»Hast du dich schwer verletzt, als er dich aus dem Fenster warf?«

»Ich war zwei Tage bewusstlos. Eine Kopfverletzung. Als ich wieder zu mir kam, dachte ich, ich wäre an einem anderen Ort. Danach habe ich eine Woche bei meiner Tante gewohnt. Doktor Roger erklärte mir, dass das alles zu meiner Persönlichkeitsspaltung beigetragen hat. Er zeigte mir Diagramme und – wie heißt das noch? – Scans. Aber das erklärt nicht, weshalb ich auf diesem fernen Planeten Stygia gelebt habe, der mindestens so wirklich ist wie …«

Er verstummte. Und dachte schweigend nach. Er erinnerte sich, wie Doktor Thomas ihm mit einer gewissen Befriedigung in der brüchigen alten Stimme sagte, dass es keine Erklärung für das Mysterium des menschlichen Bewusstseins gab. Soweit er das beurteilen könne, war es nichts weiter als ein Unfall.

Er stellte den Teller ab, den er gerade abtrocknete, und erklärte Doris: »Ja, Doktor Roger nannte mir als Beispiel einen Goldfisch im Glas. Der Goldfisch hat keine Möglichkeit, die Welt jenseits seines Glases zu begreifen. Da wir in dem Glas unserer begrenzten kollektiven Wahrnehmung gefangen sind, folgt daraus ...«

Ein Angstschrei der alten Frau im vorderen Zimmer unterbrach ihn.

Paul rannte mit dem Geschirrtuch in der Hand hinüber, um nachzusehen, was los war. Der Fernseher lief noch. Als er daran vorbeilief, sah er aus den Augenwinkeln das eingeblendete Bild eines zerstörten Gebäudes mit zahllosen Männern in Uniform.

Ein gelbes Laufband verkündete: LONDON: SONDERMELDUNG.

Fatima brabbelte unverständlich vor sich hin und deutete über den schmalen Vorgarten zum Bürgersteig, wo vier Männer auf das Haus zustürmten. Sie trugen schwere Kampfmonturen. Alle vier hielten Waffen im Anschlag.

»Zum Zeusel! Sie sind schon wieder hinter mir her!« schrie Paul. Er wollte aus dem Raum. »Diesmal bringen sie mich sicher um!«

Doris hielt seinen Arm fest.

»Sie können nicht hinter dir her sein, Paul! Du bist noch keine Woche aus ihren Klauen. Sprich mit ihnen, beruhige die Mistkerle!«

»Sprechen? Du hast sie nicht alle ...« Er riss sich von ihr los und rannte zur Hintertür. Er öffnete sie. Männer standen mit erhobenen Gewehren im dunklen Garten. Einer richtete einen hellen Scheinwerfer auf ihn. Er schlug benommen und in Todesangst die Tür wieder zu.

Jemand hämmerte gegen die Haustür. Er lief hektisch die Treppe hoch.

Doris öffnete erschrocken die Tür und sah nach draußen.

Einer der vier hatte so Stellung bezogen, dass er das Fenster sehen konnte. Die anderen drei drängten sich auf dem Absatz vor der Tür.

»Aus dem Weg, Mädchen. Wir sind hier, um einen Mann zu verhaften, der sich Paul oder Ali Fadhil nennt.«

»Was wollen Sie von ihm?«

»Wir wollen ihn vernehmen. Gehen Sie aus dem Weg.«

»Paul ist nicht zu Hause.«

Der Sprecher schob sie zur Seite und drängte sich mit einem anderen ins Haus. Der dritte Mann hielt auf der Treppe Wache.

»Was hat er getan? Was hat er getan?« kreischte Doris. Fatima schrie im Wohnzimmer. Die Männer stürzten sich auf sie.

»Wer ist die alte Hexe?« fragte der Anführer Doris.

»Sie wohnt hier. Sie spricht kein Englisch. Sie versteht nicht, was Sie sagen.«

»Noch so eine Scheiß-Muslimin …«

Die Bemerkung hinderte den Anführer aber nicht daran, Fatima weiter zu bedrängen. Er packte sie am Handgelenk und schüttelte sie. Sie kreischte und schlug mit der freien Hand nach ihm.

Er wandte sich achtlos ab und ignorierte, dass Fatima hinter ihm auf die Knie fiel. Die beiden Männer durchsuchten die Räume im Erdgeschoss und forderten Paul laut rufend auf, sich zu ergeben.

Dann rannten sie nach oben. Sie trieben Paul auf dem oberen Treppenabsatz in die Enge. Er stand stocksteif neben dem Geländer und hob die Hände in der traditionellen Geste der Kapitulation. Der Anführer rückte zu ihm vor, während der zweite Mann ihm Deckung gab.

Blass um die Lippen flehte Paul undeutlich: »Tut mir nichts. Ihr habt mir schon genug getan. Ich habe euch nichts getan.«

»Dann kommen Sie friedlich mit!«

Paul trat zu und traf den Mann, der auf ihn zukam, am Knie. Als der sich unwillkürlich vorbeugte, schlug Paul ihm ins Gesicht und drängte ihn gegen das Geländer. Das morsche Holz gab nach. Der Mann ließ die Waffe fallen und versuchte, sich an einem Stück Geländer festzuhalten. Es zerbrach unter seinem Griff. Er verlor das Gleichgewicht. Noch während er fiel, eröffnete sein Partner das Feuer auf Paul.

Das Haus füllte sich mit Lärm; Kreischen, Schreien, der dumpfe Aufprall eines Körpers auf den Fliesen im Korridor. Dann Stille.

»Paul! Alles in Ordnung?« rief Doris mit schwacher Stimme. Sie musste sich am Türrahmen abstützen, so sehr zitterte sie. Der Mann auf der Treppe betrat das Haus und baute sich drohend auf. Er blickte grimmig drein, sagte nichts und war offensichtlich bereit, jederzeit zu schießen, falls nötig.

Der Mann oben im Treppenhaus sah nach unten. »Sieh nach Stan«, rief er seinem Kollegen zu. »Ob ihm was passiert ist.«

Dann kniete er nieder und legte Paul Handschellen an. Paul wand sich. Er biss die Zähne vor Schmerzen fest zusammen. Eine Kugel hatte seinen rechten Oberschenkel durchschlagen.

»Aufstehen«, befahl man ihm.

Paul versuchte, zu gehorchen. Ein Knochensplitter hatte sich durch das Fleisch seines Oberschenkels gebohrt und stach durch den Stoff seiner Jeans.

Der Soldat unten rief über Handy einen Krankenwagen. »Sorgen Sie dafür, dass die verdammte Frau mit ihrem Geschrei aufhört«, sagte er zu Doris. Sie verschwand im Wohnzimmer.

Paul wurde auf die Füße gezerrt. Sein Häscher hielt ihn fest im Griff und drängte ihn die Treppe hinunter. Er zog eine dünne Blutspur hinter sich her.

»Was habe ich getan?« keuchte er. »Wohin bringen Sie mich?«

Sein Häscher schüttelte ihn heftig und schob das wütende, rot angelaufene Gesicht ganz nah an seins.

»Der Premierminister ist verflucht noch mal eben ermordet worden – wie du es geplant hast.«

»Was? Ich habe nichts …«

»Eine Mörsergrante wurde durch eines der oberen Fenster von Nr. 10 gefeuert, du Scheißkerl. Der PM war sofort tot … wie du es geplant hast …«

»Oh Allah der Barmherzige …«

Er sah das kreidebleiche, verängstigte Gesicht von Doris, als sie ihn in das Dunkel von London hinausschleppten, wo so vieles falsch lief und so viel Falsches geschah …

Noch als er in dem Polizeitransporter zusammengeschlagen wurde, hörte er eine leise Stimme monoton sprechen. Er erinnerte sich nicht an den Namen des Sprechers. Der Mann plädierte für die Notwendigkeit, Bevölkerungsgruppen zu kontrollieren. Ein Führer musste stark sein; er durfte sich nicht durch falsch verstandene Prinzipien zu Barmherzigkeit verleiten lassen; Barmherzigkeit war häufig eine Maske für Schwäche. Die öffentliche Meinung musste auf ein positives Ziel gerichtet werden. Das ergab einen Sinn. Er stand jetzt an der Spitze der Regierung und würde kein defätistisches Gerede über Genozid tolerieren.

Gefahren für die innere Sicherheit mussten ausgemerzt werden, wo immer sie auftauchten. Man musste gefährliche Gedanken schon im Keim ersticken. Dennoch hatte Tolsteem ihn, den mächtigen Safelkty, darauf hingewiesen, dass du ein denkender Mensch bist und in einer Nation der Unwissenden ein Intellekt wie deiner gebraucht wird.

Du solltest deine Einstellung zum Leben in einigen Punkten ändern und erzogen werden; danach hättest du eine Machtstellung erhalten.

Anmerkung des Verfassers

Wir reisten zu viert durch eine malerische, unberührte Landschaft. Für uns war das ein Genuss mit Reue, weil diese friedliche Wildnis uns vor Augen führte, wie England einst gewesen sein muss, im Mittelalter, ehe überall Uhren tickten und die Moderne Einzug hielt.

Unser Fahrzeug erklomm einen flachen Berg. Als wir in das Tal auf der anderen Seite hinunter fuhren, sahen wir eine Menschenmenge, überwiegend Frauen, unter einem gewaltigen Baum stehen. Ein schwarzes Pferd hing am Hals an einem Ast. Überall summten Schmeißfliegen. Ein Mann mit einem langen Messer schnitt Fleischstreifen aus dem Pferd und verkaufte sie den Frauen. Das war in Albanien, kurz nach dem Tod des Diktators Enver Hoxha.

Reife: Vielleicht bedeutet Reife, einen Weg zu finden, wie man sich mit Gleichmut zwischen den komplexen Kontrapunkten Freude und Leid, Denken und Handeln, Feuer und Ruhe, Liebe und Abscheu bewegt – all den Dingen, die unserer Begegnung mit Erfahrung zugrunde liegen. Nicht gleichgültig sein. Nicht gleichgültig gegenüber diesem Anblick, der sich uns in Albanien bot: die Armut zu empfinden, in der diese Frauen leben mussten, die Grausamkeit des Schlachters; vielleicht ein Gefühl für den unbarmherzigen Lauf der Geschichte.

Jugend: Bereichert und erleuchtet durch die Lektüre des von John Campbell herausgegebenen Magazins *Astounding*. Ich las noch vieles andere, aber *Astounding* regte meine Phantasie am meisten an. Meinen Stil verdanke ich anderen: Thomas Hardy, Jonathan Swift, Charles Dickens und den Gedichten Alexander Popes.

Ich war immer dankbar für den Schutz, den das Science-Fiction-Genre bietet. Die meisten meiner Freunde kommen von da. Nur langsam hat sich bei mir der Gedanke durchgesetzt, dass viele Autoren sich darauf beschränkten, Streifen aus einem alten Leichnam zu schneiden.

In meinem Selbstverständnis bin ich ein Steppenwolf. Doch andererseits sind alle wahren Schriftsteller Steppenwölfe. Sie leben in menschlichen Gesellschaften – und einige Gesellschaften sind sicher erstrebenswerter als andere –, haben aber immer ihre Konflikte und Differenzen.

Auch *Terror* gehört dazu.